JN042590

「日本」ってどんな国？

国際比較データで社会が見えてくる

本田由紀 Honda Yuki

★——ちくまプリマー新書

386

目次 ＊ Contents

章扉イラスト　惣田紗希

はじめに

日本がどんな国か確かめよう

みなさんは、日本がどんな国だと思っていますか？　世界に誇れる「スゴイ国」なのか、まあよくあるそこそこ「普通の国」なのか、それとも「相当やばい国」なのか。もちろん、どう見えるかはいろいろです。一つは、見る側の気持ちや感じ方によっても違って見えるでしょう。でも、気持ちや感じ方が偏っていて、実際の姿を捉えそこなっていたら困ります。それを防ぐためには、できるだけ客観的なデータに基づいて、実情を捉えることが必要になります。

二つ目には、日本の中のどの部分に注目するかによっても見え方は異なります。現代社会は、互いに絡み合ってはいても一定程度は区別できる、多数の社会領域（社会学では「サブシステム」という言葉を使います。あるいはもっとずっと簡単に「テーマ」と表現してもかまいません）から成り立っているからです。これについても、そのうちの特定のどれかだけに注目するのではなく、主要な社会領域をできるだけ広く見渡しておくことが必要になります。

この二つのことに、本書は取り組みます。つまり、各章でそれぞれ、人々の生活に密接に関わる社会領域を取り上げ、それについて日本の状況がどうなっているかを、いろいろなデータに基づいて示してゆきます。

そうする中で、私の専門分野は社会学ですから、折々に社会学の概念や見方が織り込まれることになります。つまりこの本は、日本という国についての社会学をするという試みでもあります。

各章で書かれることの中には、みなさんが、すでに知っていたことや、うすうす気づいていたことも多いかもしれません。でももしかしたら、全然知らなかったことも混じっているだろうと思います。日本は島国で、日本語という独特な言語を話し、それとは違う言語を使う隣国とは、総じて良好な関係を取り結べていません。世界の多くの国の情報を知り、こちらから発信するためには、英語のスキルが必要になっていることは否定できませんが、その英語を使いこなすスキルも、日本の人々はあまり高くありません。

ですから、日本の中で生きている人たちは、世界の大きなうねりを知らないということになりがちです。国の外部から閉ざされ、自分たちだけの「常識」や、政府やマスメディアが流す限られた情報、時にはかなり歪《ゆが》んでいる情報に基づいて、この国についてのイメージや理解を作り上げてしまうおそれがあります。たとえば「世界の真ん中で輝く日本」と演説する政治家や、「ニッポンスゴイ！」と自画自賛するテレビ番組を目にすることがよくあります。本当にそうなのでしょうか。日本は一体どんな国なのでしょうか？　これから一緒に確かめていきましょう。

他の国と比べてみよう

日本がどんな国なのかを把握するためには、他の、できるだけ多くの国と、共通の尺度で比べてみることが役に立ちます。あるいは、そうしない限り、勝手な思い込みの理解しか得られません。最近は、多くの国際比較データが収集され、一般の人々も見ることができるようになっています。みなさんも、関心のある事柄について、自分で探してみるとよいと思います。

国際比較データを収集・公開している機関としては、ＯＥＣＤ（経済協力開発機構）やＵＮＩＣＥＦ（国連児童基金）、ＩＬＯ（国際労働機関）などの国際機関があり、そのウェブサイトには多種多様な情報が掲載されています。それ以外にも、各国の政府機関や民間の企業・団体なども、独自に調査を実施したり、集めてまとめたものを公開したりしています。各省庁のウェブサイトや、毎年刊行される様々な白書、審議会などの会議資料や報告書などにも、豊富なデータが見つかります。さらには、共通の調査項目を使って多くの国で実施された調査結果の生のデータを、誰でも分析できるように公開してくれている場合もあります。国際社会調査プログラム（International Social Survey Programme, ISSP）や世界価値観調査（World Value Survey, WVS）などがそれにあたります。統計分析ソフトが使えれば、みなさんも自分の関心に即してこうしたデータを分析してみることができるのです。

国際比較をするときに気をつけるべきこと

ただ、国際比較をする際には、気をつけなければならないことがあります。国によって数値の定義や使われている質問が異なっていないか、調査対象者が偏っていないか、といったことには、常に注意を払っておかなければなりません。信頼できるデータであれば、それらの情報も公表して確かめられるようになっているはずです。

そして、国際比較データが過去と比べて整備されてきたといっても、あらゆる事柄について質の良いデータがそろっているわけではありません。それは仕方がないことですから、今のところ手に入るものを最大限に使っていくしかありません。「すべてがわからないのならちまちまデータ見ても意味なくね？」と考えてしまうことは、とても危険です。人間は全知全能の神ではないのですから、何かを知ろうとするなら、多くの人々が苦労して集めてきた情報を大切にして、そこから考えてゆくしかないのです。もっとも、将来的にはもっと多くの調査や研究が必要であることも確かです。

また、特に意識調査の結果について、日本で特徴的な結果が出ていると、「それは日本人が謙虚な答え方をするからじゃ？」とか、「日本人は極端な選択肢ではなく中ほどの選択肢を選ぶ傾向があるからじゃ？」とかの質問や意見がしばしば出てきます。こうした回答傾向そのものをテーマとした研究もありますが、一貫した明確な結論が出ているわけではありません。また、日本の回答も、すべての質問項目で他の国々と大きく違っているということはなく、特定の質問で特徴が出ていることがほとんどです。ですから、日本人が常に何か特殊な回答をするパターンをもっているという理解は、当てはまらないのではないかと考えています。

本書の内容

話をもとにもどすと、すでに書いたように、この本では、各章ごとに、特定の社会領域に焦点を当てて、国際比較データをできるだけ使いながら、日本という国の特徴を、あぶりだすことを目的としています。そして、なぜそうなっているのか、どうしたらいいのかについても考えていきます。各章はテーマ別になっているので、それらをすべて読み終えたみなさんはたぶん、「個々の章で書かれてきたことをまるっとまとめると、要するに日本はどんな国だということになるの？」という気持ちになるかもしれません。

それについても、私なりの認識を、最後の章では示しておくことにします。でも、実はそれはとても重要な問題関心で、日本に関心をもつ社会科学の研究者たち全員が取り組んできた問いであると言っても言い過ぎではありません。別の言い方をすれば、そうそう簡単に百パーセントの答えは出ないということでもあります。「要するに」という形でぎゅっとまとめた表現をすると、複雑な社会のあり方のどこかは必ず表現しきれなくなります。また、社会は生き物のように絶えず変化しているので、いったん捉えたと思っても、少しの間にまた違った様相があらわれていたりもするからです。ですから、日本であれ他の社会であれ、その実像を把握しようとすることは果てしのない営みでもあります。この本を読んでくれた方々が、この本を踏み台にして、日本をより高い精度で理解しようとする努力に加わっていただけるとうれしいです。

各章の説明

各章では、次のような順番で、みなさんにとってなじみの深い、社会の各側面をとりあげていきます。

まず第1章では、誰もがその中に生まれ落ち、多くの場合は長い間一緒に過ごす、とても身近な「家族」について検討します。あたりまえに見える「家族」の定義や範囲が実は複雑であることを押さえた上で、日本の家族構成の変化、そしてその動向と不可分な少子高齢化について確認します。続いて、家族のメンバー間の関係に日本ではどのような特徴があるか、なぜそうなっているかについて、背景も含めて論じ、さらに日本という国では家族についてどのように考えられ、家族に何が期待されてきたかを吟味《ぎんみ》します。そうしたこれまでの固定観念に囚《とら》われる必要はないのではないか、というのが、この章の最後で問いかけたいことです。

第2章では、この「家族」とも密接に関わる「ジェンダー」をとりあげます。日本は、少なくとも先進諸国の中では、性別間の不平等が最悪と言ってよいほど著しい国です。女性が公的な場で発言力や影響力の大きい立場に就きにくいこと、働いていても仕事に関する不利さが大きいことをまず指摘します。逆に男性は、家庭での責任を担う度合いがきわめて小さいことも明らかです。なぜこうなってしまっているのかを、いくつかの概念とデータから論じた上で、そこから脱するための考え方を示します。

続く第3章の主題は、「学校」です。これまで日本の学校は、特に海外からは、ある時には称賛されたり、ある時には非常に問題があるとされたりしてきました。学校の中での教育のあり方についての様々なデータをふまえると、良いとされてきた面の背後に、相当の代償を伴っていたことが確認されます。その根本的な原因を述べた上で、個々の学校を超えた教育制度に関しても、きわめて独特な性質が、特に高校段階に関して見いだされることを指摘します。そして社会全体にとっても、これまでのような「学校」が生み出している問題点は見過ごすことができないということを論じます。

第4章では、「友だち」（言い換えれば「人間関係」）について取り上げます。社会学で「友だち」（「人間関係」）がどのように捉えられてきたかをまず説明し、続いて子どもや若者にとっての「友だち」の実情を、友だちの数や「スクールカースト」などに焦点を当てて、他国と比較しながら検討します。また、年長の大人にとっての「友だち」の数や偏りについて論じた上で、「友だち」以外の幅広い対象も含めて、「人と人との関係」に関する日本の特性や問題状況を指摘します。

第5章では「経済・仕事」に注目します。日本の経済的活力の長期的推移を見ると、その低下は明らかです。その要因をいくつか示した上で、日本における「働き方」が国際的に見て特異であること、人々の「働くこと」への考え方についても他国とは異なる特性が見いだされることを論じます。そして、求められる変革の方向性について、私なりの提案をします。

第6章で取り上げるのは、「政治・社会運動」です。最初に、「民主主義」をどう考えるべきかについて、いくつかの議論を参照しながら述べます。投票率を見ると、日本全体でも、また特に若者において、それが低下していることが確認されます。その背後にある若者の政治意識を検討し、なぜ若者の政治意識が低調になっているのかに関して、いくつかの仮説を示します。そして若者以外に関しても、政府というものについての考え方が日本ではある種の偏りをもっていることを踏まえ、政治参加や社会運動のあるべき形を論じます。

最後の第7章では、改めて「日本」という国と、その中で生きている「自分」との関係について考えます。国という大きな存在と自分との間に特に強い関係性はないと思っている人がいるかもしれませんが、自分自身についての考え方には国によって明確に違いがあり、特に日本の若者は、生きることの意味や自分自身についての否定的な感じ方が強いことが確認されます。同時に、日本という国への支持（ナショナリズム）や、偉い人には従うべきだという考え方（権威主義）が、日本全体や若者の中で近年上昇しているというデータもあります。ここまでの各章で見てきた、日本の各社会領域が抱える問題点を是正していくためには、これらの問題から目を背けるのでなく直視し、一定の目指すべき方向性に向かってにじり寄ることをあきらめないということが必要であると主張します。

このように各章の概要を記してくれば、本書が描く日本の姿が「相当やばい国」であることはすでにおわかりですね。実のところ、諸種の国際比較データが指し示しているのは、そういう日本の現状です。それをまず踏まえよう、踏まえないと先に進めない、という思いから、私はこの本を書きました。さあ、では各章を読んでいただき、ご自身でも考えてみていただきたいと思います。

第1章　家族

家族とは

（前略）いつかお父さんみたいに大きな背中で
いつかお母さんみたいに静かな優しさで
どんなことも超えていける　家族になろうよ（中略）
いつかおじいちゃんみたいに無口な強さで
いつかおばあちゃんみたいにかわいい笑顔で
あなたとなら生きていける　そんな二人になろうよ
いつかあなたの笑顔によく似た男の子と
いつかわたしと同じ泣き虫な女の子と
どんなことも超えていける　家族になろうよ（後略）[1]

これは、新型コロナウイルス感染症の拡大下で、どこにも行けずに自宅で迎えた2020年の大晦日《おおみそか》、紅白歌合戦で耳にした福山雅治《まさはる》さんの「家族になろうよ」という曲の歌詞です。みなさんは、この歌詞を読んで、どのように感じられるでしょうか。「いい歌詞だな」「泣けるな」と思う人もいると思いますし、「なんか嫌だな」「苦手だな」と思う人もいるかもしれません。
この歌詞をどう考えるか、それは人それぞれで違うでしょう。しかし、私はこの歌が耳に入るたびに、どうにも苦手だと感じてしまいます。別に福山さんは特に好きでも嫌いでもないのですが、私にとっては、この曲の歌詞が、古臭い家族観や、男性と女性のステレオタイプにまみれたものであるように感じられるのです。ということで、第1章として、この歌詞の主題となっている「家族」について論じます。【「男女のステレオタイプ」、つまり「ジェンダー」については➡第2章】
さて、先の歌詞に戻るならば、そこでは父親の背中は大きく、母親は静かでやさしく、祖父は無口で強く、祖母は笑顔がかわいく、男の子は笑顔で、女の子は泣き虫。男性は強く、女性は控えめで男性を頼る存在として描かれています。他にも、引用部分以外の歌詞の中には「親孝行」「与える」「与えられる」といった言葉があります。つまり総じて、世代と男女の役割分担に基づき、強い結びつきや相互の献身に支えられた、「家族の絆《きずな》」的な考え方が色濃く感じられます。このようなイメージは、現実の家族に当てはまるものなのでしょうか？　仮に当てはまっている家族も存在するとして、それは良いことなのでしょうか？

それ以前に、そもそも家族とは何でしょうか？　辞書で「家族」という言葉の定義を見ると、「夫婦の配偶関係や親子・兄弟などの血縁関係によって結ばれた親族関係を基礎にして成立する小集団。社会構成の基本単位」[2]と書かれています。また社会学では、たとえば「夫婦・親子・きょうだいなど少数の近親者を主要な成員とし、成員相互の深い感情的かかわりあいで結ばれた、幸福（well-being）追求の集団」[3]などと定義されています。つまり、結婚、血縁、感情的結びつきが、「家族」の不可欠な要素とされているようです。

でも考えてみるに、実際の「家族」はもっと複雑で様々です。まず、結婚つまり配偶関係についても絶対条件ではありません。事実婚（法律上の結婚の手続きは踏んでいないが、互いをパートナーと認めて共同生活をするなど、結婚と実質的に同じ状態にあること）や同棲、あるいは同性のパートナーと一緒に長く暮らすなど（私はよしながふみさんのコミック『きのう何食べた？』の愛読者です）、制度化された婚姻《こんいん》を伴わない「家族」も珍しくなくなっています。親が一人の場合もあります。

あるいは、シェアハウスなど、配偶関係や血縁関係がなくても、長くかつ親しく一緒に暮らす場合もかなりありますが、これは「家族」でしょうか？　逆に、血縁関係があっても、単身赴任や出稼ぎなど、生活を長い間ともにしていない場合も多いですから、「一緒に生活すること」を家族の条件や基準とすることも難しいです。子連れで再婚する場合や遺伝子提供を受ける場合など、「血縁」が「家族」であることを保証するとも限りません。さらには、「ペットも大切な家族」ということもよく言われますから、人間であることさえ必要条件ではなくなってきます。しかも、家族のメンバーの間で「深い感情的かかわりあい」や「幸福追求」がどれほど実現されているかも、まさに千差万別でしょう。中には「家族こそが暴力や加害・被害が行われる場なのだ」という主張さえ存在します[4]。

さあ、わけがわからなくなってきましたね。重要なことは、このように、「家族」とされているものの実態は多様であるにもかかわらず、冒頭で示した歌詞にあるような、「家族とはこんなもの」というイメージは、かなりの強さで人々の間に共有されているということです。そして、歌詞やドラマや小説など、様々なメディアが、そのイメージを繰り返し再活性化し、維持しているということです。

しかし、以下で見ていくように、今の日本の「家族」は、そうしたイメージとはかなり違ったものになってきています。他国と比べても、日本の家族の変化や問題状況の深刻さは、はなはだしいと言える面もあります。まず現実をしっかりふまえたうえで、そうした変化にもかかわらず、固定的で美化された「家族」イメージだけが存続していることの問題について考えてみましょう。

変容する日本の家族の「かたち」

さて、日本の「家族」の現実を把握する上で、まずはざっくりと、日々の生活を営む単位としての「世帯」が、どのような関係にある人々から構成されているのか、それはどう変わってきたのかを押さえておきましょう。

図1－1は、厚生労働省が継続的に実施している国民生活基礎調査から、日本における類型別の「世帯」比率の推移を示しています。増えている類型と減っている類型があ

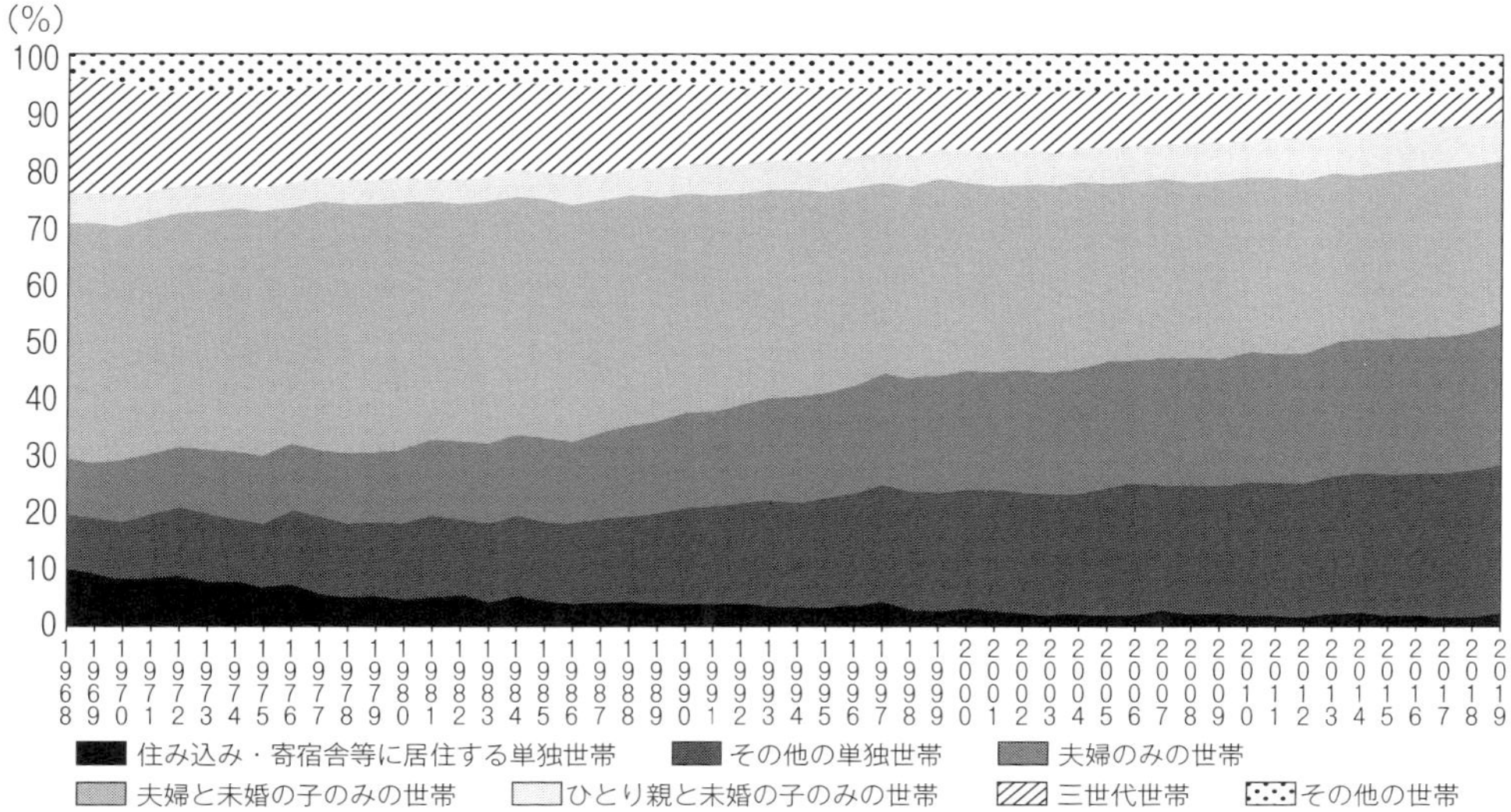

(%)
100
90
80
70
60
50
40
30
20
10
0
1968 1969 1970 1971 1972 1973 1974 1975 1976 1977 1978 1979 1980 1981 1982 1983 1984 1985 1986 1987 1988 1989 1990 1991 1992 1993 1994 1995 1996 1997 1998 1999 2000 2001 2002 2003 2004 2005 2006 2007 2008 2009 2010 2011 2012 2013 2014 2015 2016 2017 2018 2019
住み込み・寄宿舎等に居住する単独世帯
その他の単独世帯
夫婦のみの世帯
夫婦と未婚の子のみの世帯
ひとり親と未婚の子のみの世帯
三世代世帯
その他の世帯

図 1-1　世帯類型別　構成比の推移

データ出所：国民生活基礎調査より筆者作成。

ることが、一目でわかりますね。増えているのは「(住み込み・寄宿舎等を除く)その他の単独世帯」と「夫婦のみの世帯」です。「ひとり親と未婚の子のみの世帯」と「その他の世帯」もじわっと増えています。逆に、減っているのは「夫婦と未婚の子のみの世帯」と「三世代世帯」です。主な類型の割合の変化を具体的に数字で見ておくと、「(住み込み・寄宿舎等を除く)単独世帯」は、1970年には全世帯の中の10・1%だったものが、2019年には26・5%へ、「夫婦のみの世帯」は同じく10・7%から24・4%へと、それぞれ約2・5倍に増えて、この2つで全体の約半数を占めるにいたっています。他方で、「夫婦と未婚の子のみの世帯」は、1970年には41・2%を占めていましたが2019年には28・4%になり、また「三世代世帯」は19・2%から5・1%まで減少しました。1970年にはこの2つの類型を合わせると6割を占めていたのに、いまでは半減して3割強にすぎません。

増えている「その他の単独世帯」とは、言うまでもなく一人暮らしのことです。一人暮らしや夫婦だけの世帯が増えて、「夫婦と未婚の子」といういわゆる「核家族」や、祖父母・親・子から成る三世代世帯は減っているのです。このことだけを見ても、冒頭の歌詞で描かれているような「家族」は、もはや少数派になっていると言えます。一人暮らしがもはや4分の1に達しているということは、少なくとも誰かと一緒に住むという意味での「家族」には当てはまらない世帯が珍しくなくなっていることを意味します。

日本で急速に進む少子高齢化

なぜこのような変化が起きているのでしょうか。お察しの読者も多いでしょうが、その背景には日本で急激に進んでいる少子高齢化の事態があります。高齢者が増えたことにより、子どもが独立した後に老夫婦のみで暮らす、あるいは配偶者が亡くなって高齢者が一人で暮らす世帯が増えています。さらには、子どもが減っていることから、当然ながら「核家族」や三世代世帯が減っているわけです。

高齢化は、図1-2が示しているように多くの国で進行しているのですが、日本は他国より頭一つ抜き出ており、先行して飛び出したロケットスタートのような形で高齢化率が上昇しています。少子化については、日本で確かに著しいとはいえ、ドイツやイタリア、他のアジア諸国でも出生率は低迷しています（図1-3）。

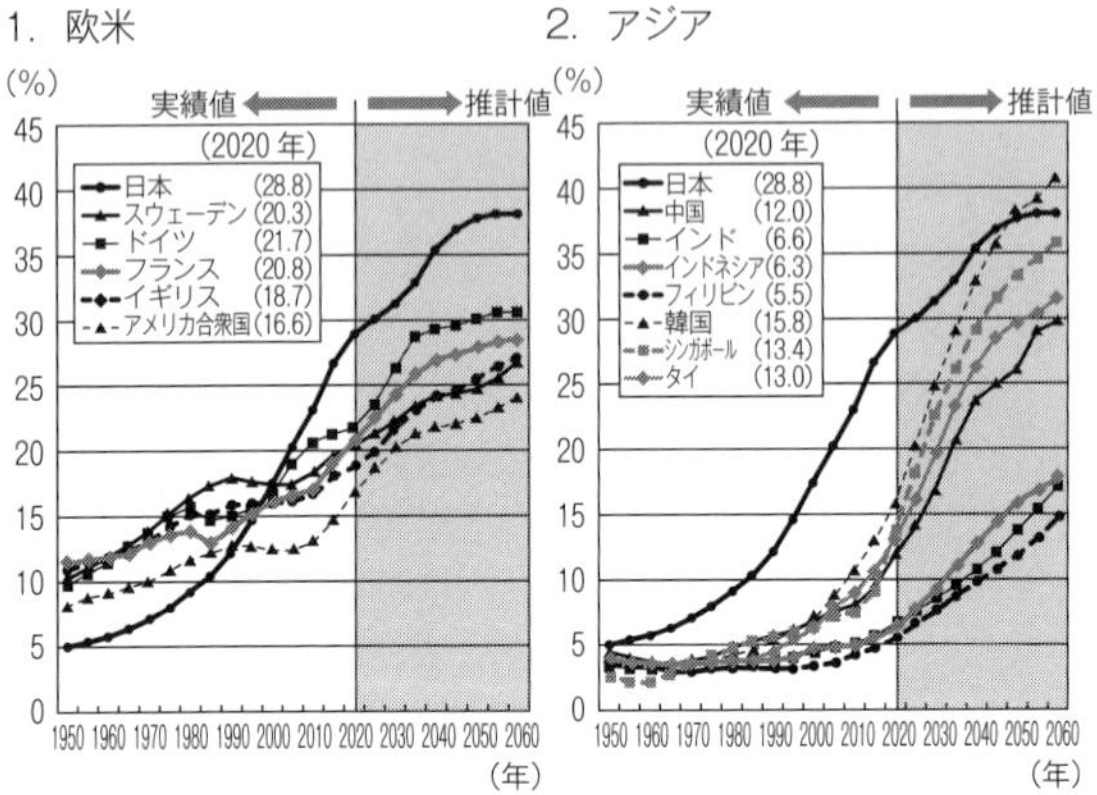

注：UN、World Population Prospects: The 2019 Revision ただし日本は、2015 年までは総務省「国勢調査」、2020 年は総務省「人口推計」（令和 2 年 10 月 1 日現在〔平成 27 年国勢調査を基準とする推計〕）。2025 年以降は国立社会保障・人口問題研究所「日本の将来推計人口（平成 29 年推計）」の出生中位・死亡中位仮定による推計結果による。

図 1-2　国別　高齢化率の推移

出典：注 5 の文献、図 1-1-6。

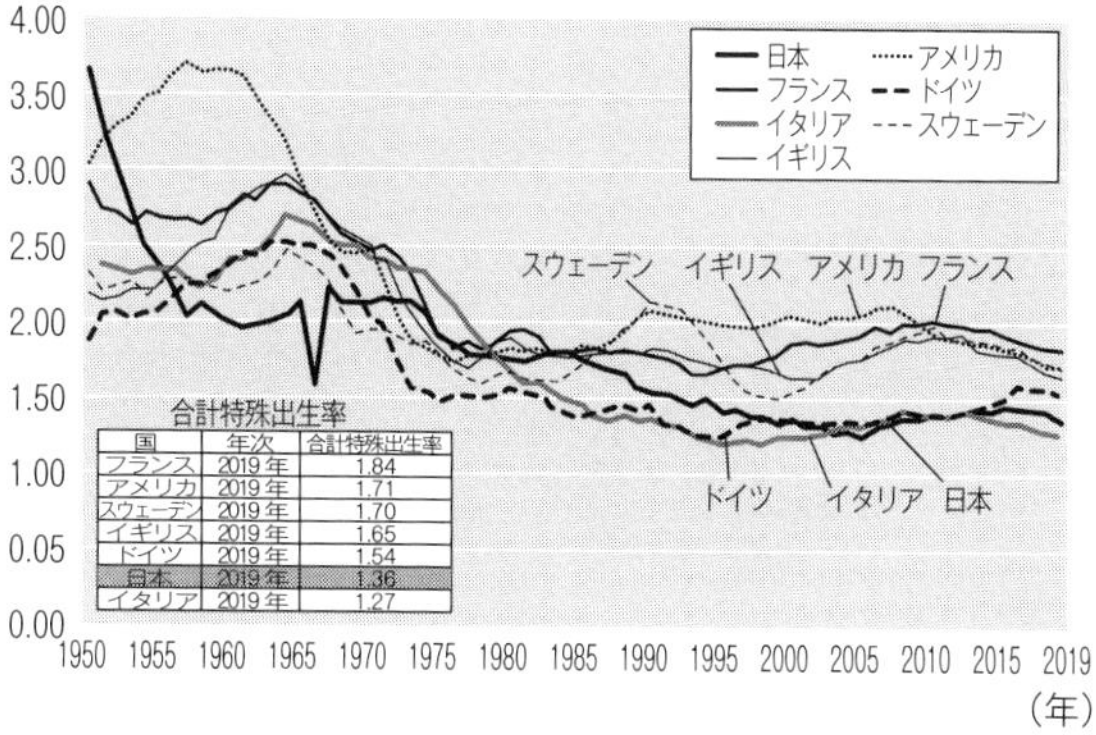

注1：諸外国の数値は1959年まで United Nations "Demographic Yearbook" 等、1960～2018年は OECD Family Database、2019年は各国統計、日本の数値は厚生労働省「人口動態統計」を基に作成。

注2：2019年のフランスの数値は暫定値となっている。2020年は、フランス1.83（暫定値）、アメリカ1.64（暫定値）、スウェーデン1.66、イギリス1.60（暫定値）、イタリア1.24（暫定値）となっている。

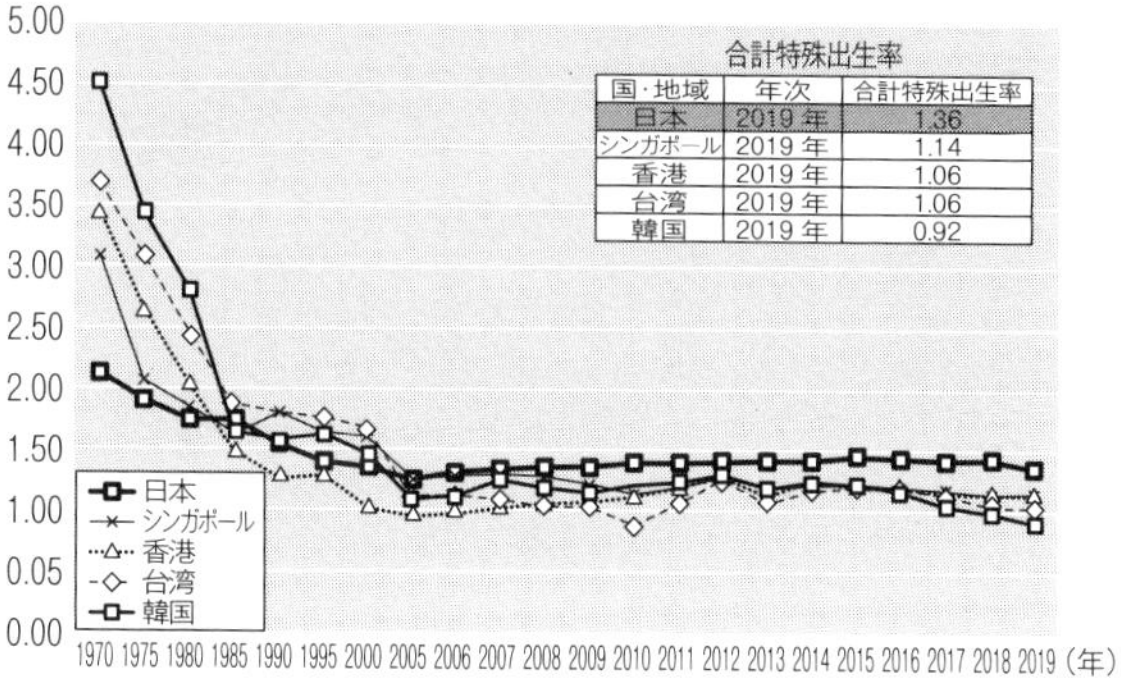

注1：各国・地域統計、日本は厚生労働省「人口動態統計」を基に作成。

注2：香港の1970年は1971年、台湾の1970年は1971年、1975年は1976年、1980年は1981年の数値。2020年は、シンガポール1.10（暫定値）、香港0.87（暫定値）、韓国0.84（暫定値）となっている。

図1-3　国別　合計特殊出生率の推移

出典：内閣府『令和3年版少子化社会対策白書』第1-1-4図、第1-1-6図。

少子高齢化の原因

　では、なぜ日本でこのように高齢化の進行が急激なのかを、さらに考えてみましょう。それは、およそ次の3つくらいの特殊事情が原因です。日本の場合、①第二次世界大戦に敗けた直後の1947〜50年頃に、きわめてたくさんの子どもが生まれていたこと（「団塊《だんかい》世代」「ファーストベビーブーマー」などと呼ばれます）、②その後に子ども数は激減したのですが、この団塊世代の人数が大規模であるために、彼らが20〜30代の年齢に達した1970年代前半にはかなり多くの子どもが生まれていたこと（「団塊ジュニア」「セカンドベビーブーマー」と呼ばれます）、③しかしこの「団塊ジュニア」が20〜30代に達した1990年代後半から今世紀初頭にかけては、長引く不況や就職難、雇用の不安定化や低賃金などのために結婚や出産が難しくなり、3回目のベビーブームが訪れなかったこと。これらの結果、図1-4のように、未婚率は上昇しており、晩婚化・非婚化が進んでいる上に、晩婚化は出産年齢の上昇や子どもの数の減少を招いています。

　結婚は、少なく、遅くなっているだけでなく、その継続性も、過去の一時期と比べて

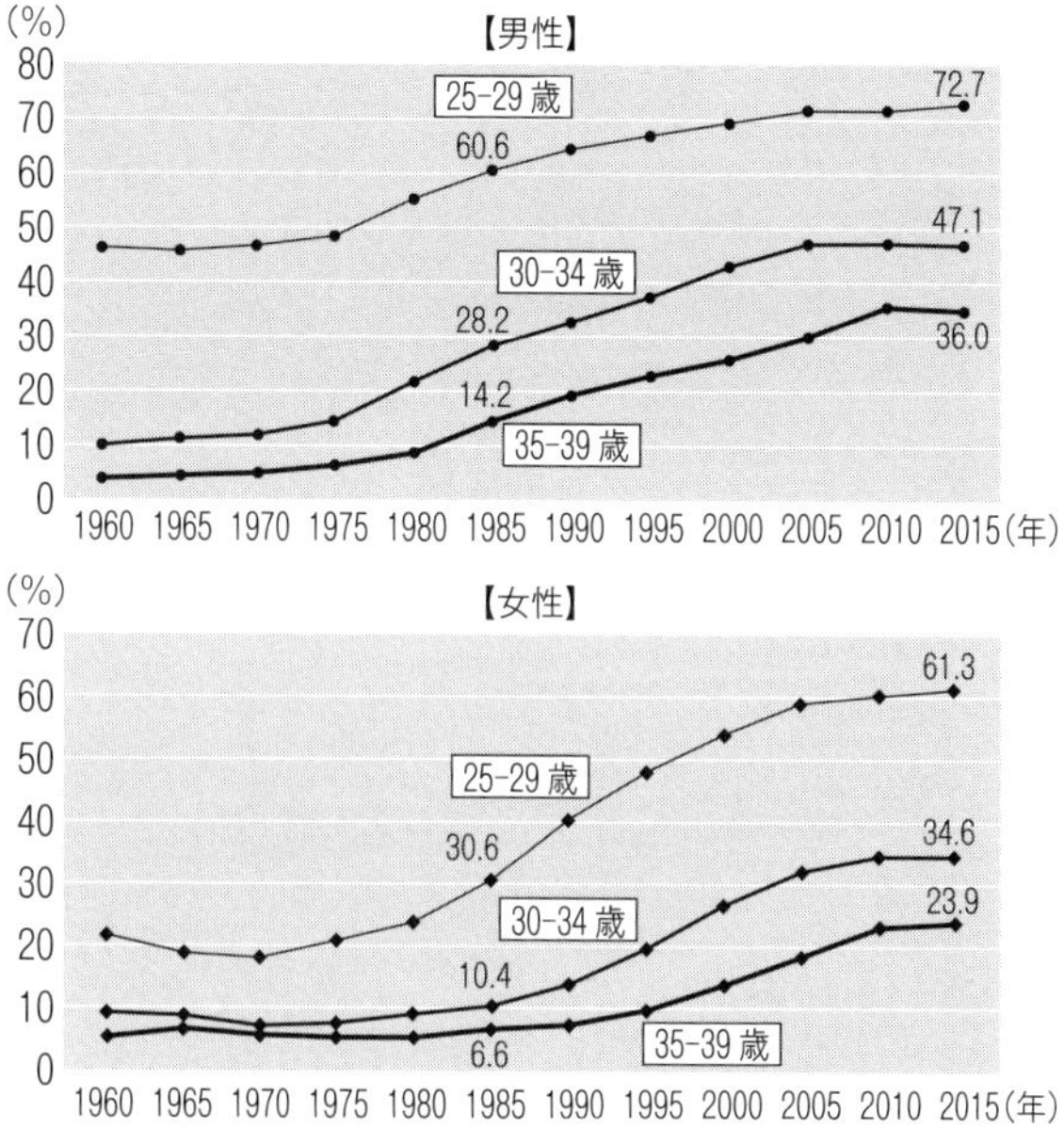

注：総務省「国勢調査」を基に作成。

図 1-4　性別・年齢層別　未婚率

出典：内閣府『令和 3 年版少子化社会対策白書』第 1-1-9 図。

低下しています。有配偶者（結婚している人）を分母とした各年の離婚率は、1960年には1・9％でしたが、今世紀に入ってからは5〜6％で推移しています。[6] 戦前の1930年には4％程度でしたので、2％前後になっていた1960〜70年頃のほうが特異と言えるかもしれませんが、戦前と比べても現在の離婚率は高くなっています。離婚の増加は、図1-1で確認した、ひとり親世帯が徐々に増加している事態へとつながっています。

なお、「夫婦と未婚の子のみ」の世帯の割合は減り、「ひとり親と未婚の子のみ」の世帯はやや増えていると先に述べました。これは世帯主（親）の全年齢の合計で見た場合です。しかし、親が65歳以上の世帯に限れば、高齢の両親もしくは片方の親と、中年になった未婚の子どもが暮らしている世帯は、どちらもむしろ増えています。[7] 現在、中年になっている世代の中には、90年代の就職難で辛酸《しんさん》をなめた「氷河期世代」も含まれており、経済的に自立したり結婚したりすることが難しいため、親元で暮らし続けている人がかなりいます。[8] 高齢の親世代の賃金や年金に頼って生活している場合もあり、親世代が亡くなって頼れる先がなくなった際に子世代が生活苦に見舞われる現象が、すでに起き始めています。80代の親と50代の未婚の子どもが抱えるリスクという意味で、「8050問題」と呼ばれています。

ここまで、日本の「家族」のもっとも基本的な趨勢を見てきました。そこからわかるのは、結婚して子どもを産む、という、過去には「普通」とされてきた「家族」をつくることや、その維持さえも難しくなってきているということです。日本の「家族」は、冒頭の歌詞のようなイメージからの乖離《かいり》を広げているのです。

家族間の関係

そして、仮に「家族」をつくることができたとしても、その家族メンバーの間の関係のあり方についても、日本ではかなりあやうい面が存在することがうかがわれます。

たとえば、31カ国の幅広い年齢層に対して2012年に家族に関する調査を行ったISSP（International Social Survey Programme）の結果を見ると（図1－5）、日本における家庭生活の満足度は男性では27位、女性では29位と、非常に低い位置にあります。[9]

同様の結果は、若者だけに限定しても見られます。2018年に内閣府が7カ国の13

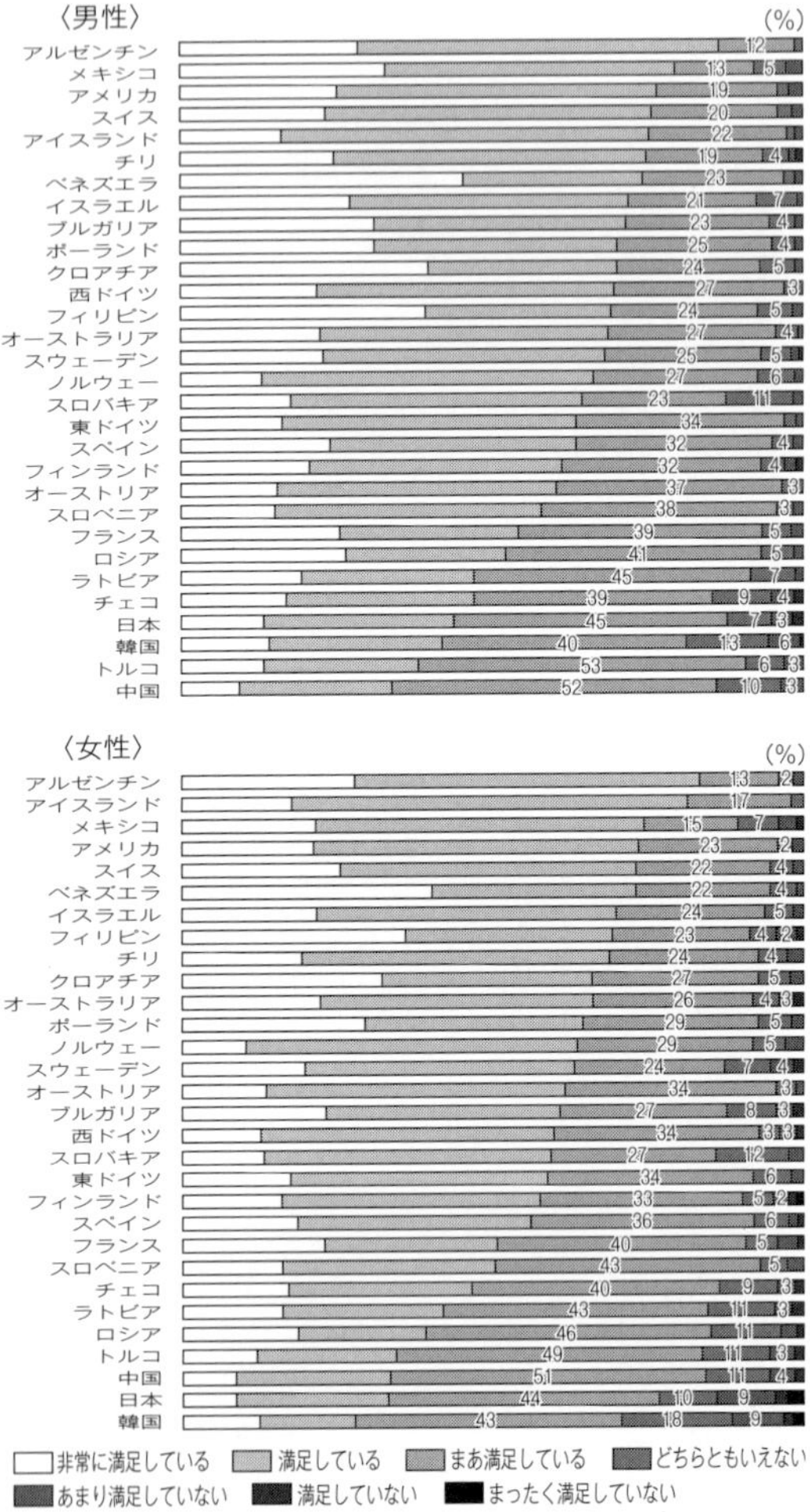

注：非常に満足—満足の多い順。南アフリカのデータはなし

図1-5　家庭生活の満足度　出典：注9の文献、図7。

歳から29歳の若者に対して実施した「我が国と諸外国の若者の意識に関する調査」では、家庭生活に「満足」しているという回答は日本では22％に留まり、アメリカ56％、イギリス・フランス44％、スウェーデン43％、ドイツ40％、韓国30％という他国の比率と比べて低いものでした。[10] 図1－6は、さらに詳しく、家庭生活のどのような側面に満足しているかをたずねた結果です。おしなべてどの側面についても、日本で「満足」という回答は少ないのですが、「家族」の重要な要素であると言ってよいであろう、「親や配偶者の愛情」「親や配偶者が自分を理解していること」についても日本の「満足」の度合いは低く、家族間の関係が良好であるとは言えない実態があります。同調査では、家族といるときの充実感も、他国と比べて日本では低くなっています。

しつこいようですが、この調査では、若者にとって父親・母親がどのような存在なのかもたずねていますので、その結果を表1－1にまとめました。「生き方の手本となる」「尊敬できる」「友だちのようである」「厳しい」「やさしい」「自分のことをよく理解してくれている」といった、肯定的もしくは親密な関係性について、「あてはまる」と答えた比率は、やはり日本が7カ国中で最低です。同時に「うっとうしい」という、否定

	日本 (n=1,134)	韓国 (n=1,064)	アメリカ (n=1,063)	イギリス (n=1,051)	ドイツ (n=1,049)	フランス (n=1,060)	スウェーデン (n=1,051)	平成25年度調査 (n=1,175)
家の収入	26.1	25.8	41.9	35.0	31.9	34.7	36.8	22.8
親や配偶者（事実婚のパートナーを含む）の職業	15.5	26.1	32.5	28.1	37.7	35.3	32.2	16.5
家庭内の争いごとがないこと	31.7	37.0	31.8	34.4	49.7	38.1	27.8	30.8
親や配偶者（事実婚のパートナーを含む）の愛情	24.8	33.2	37.3	34.5	45.9	40.6	30.5	26.7
親や配偶者（事実婚のパートナーを含む）が自分を理解していること	21.5	27.1	33.3	30.0	32.0	33.1	29.1	20.9
家族が健康であること	36.4	34.1	42.6	41.3	44.6	41.2	47.1	44.3
兄弟姉妹と気があうこと	20.9	36.6	33.4	29.7	35.5	37.5	33.4	23.4
家の周囲の環境がよいこと	20.6	22.8	36.2	30.9	43.6	34.8	49.8	23.2
家が広いこと	11.6	12.4	30.3	26.0	31.8	31.0	39.2	15.0
家族のだんらんや会話	27.7	26.7	34.7	32.5	37.2	34.7	37.3	32.8
家事・育児の分担	8.0	5.3	22.0	17.5	18.1	20.7	23.0	6.0
家族が自分に干渉しないこと	11.6	15.0	20.0	20.0	23.3	23.5	18.0	12.9
近所や友人など家族ぐるみの付き合いが多いこと	3.9	4.1	13.8	11.4	27.5	26.5	12.6	6.0
満足していることはない	9.5	8.1	2.0	3.1	2.3	2.1	2.3	7.1
わからない	13.2	11.3	7.2	8.2	5.0	6.3	8.8	14.2

（%）

図 1-6　国別　家族の諸側面に関する満足度

出典：注 10 の文献、147 ページ。

		日本 (N=1134)	韓国 (N=1064)	アメリカ (N=1063)	イギリス (N=1051)	ドイツ (N=1049)	フランス (N=1060)	スウェーデン (N=1051)
父親	生き方の手本となる	**14.6**	18.7	57.0	47.2	35.4	42.6	35.5
	尊敬できる	**22.0**	26.6	53.5	46.2	47.9	57.6	39.7
	友だちのようである	**10.2**	22.9	44.2	37.5	32.4	24.0	30.8
	厳しい	**12.7**	21.4	30.0	21.4	14.7	21.5	15.0
	やさしい	**21.5**	22.5	48.2	43.3	**21.9**	48.6	42.6
	うっとうしい	13.1	19.5	23.0	20.5	**11.2**	**12.2**	14.6
	自分のことをよく理解してくれる	**13.5**	19.3	37.8	31.1	22.4	29.7	24.0
	自分とはあまり関係がない	10.6	**9.5**	20.6	15.1	19.6	19.4	15.2
母親	生き方の手本となる	**20.6**	26.6	64.6	54.8	43.2	51.8	44.6
	尊敬できる	**28.0**	33.9	61.2	55.7	55.0	66.7	51.7
	友だちのようである	**20.1**	38.4	55.9	52.2	36.1	38.0	46.7
	厳しい	**13.8**	**13.5**	30.5	21.6	**12.9**	16.8	17.5
	やさしい	**26.2**	35.8	60.7	56.3	29.0	60.5	54.7
	うっとうしい	9.2	29.9	21.3	20.6	**7.0**	12.2	15.1
	自分のことをよく理解してくれる	**27.0**	32.6	50.6	46.7	36.8	46.6	40.2
	自分とはあまり関係がない	**5.0**	**6.0**	16.6	12.8	20.3	16.9	9.7

表 1-1　父親・母親はどのような存在か（%）

データ出所：内閣府（2019）『我が国と諸外国の若者の意識に関する調査（平成 30 年度）』より筆者作成。数値は「あてはまる」と答えた比率。太字は最下位（下位第 2 位との間の差が 1%以下である場合は下位第 2 位も太字）。

的な関係性については、「あてはまる」比率が高いわけではなく、また「自分とはあまり関係がない」という疎遠な関係性についても「あてはまる」比率は低いです。ここから推測されるのは、日本の若者にとっての「親」は、互いに「人格」として関係を取り結ぶ相手というよりも、存在感が薄い、もしくは収入や世話などを実務的に提供してくれる、「機能」としての存在とみなされているのではないかということです。

親も子どもも忙しい

次章で詳しく見ますが、日本の著《いちじる》しい特徴は、いまだに「男性（父親）は仕事、女性（母親）は家事育児」という性別役割分業が実態として濃厚であるということです【➡第2章「ジェンダー」】。日本の男性の仕事時間は先進国の中では非常に長く、家事育児に割く時間は非常に少ないです【➡第6章「経済・仕事」】。最近は女性（母親）も正社員やパートなどの仕事に就くことが増えていますが、家庭生活を営むための諸々の役割の多くを担い続けているため忙しく、日本の成人女性の睡眠時間は先進国中でも非常に短く、また男性と比べて短い度合いも著しいのです。[11] ちなみに、世界の15歳の中で、「食事を抜くことがある」比率は、日本が飛びぬけて低いです。[12] それだけせっせと母親たちはご飯をつくり続けているということです。

つまり、男性（父親）は家に居る時間も短く、家庭の生活の諸々を積極的に担当する度合いも低い。その分、女性（母親）は常に忙しく仕事と家事を切り盛りせざるを得ない。こうした、大人たちの余裕のない生活が、家族間の関係、特に親子関係にも影を落としていると考えられます。

では、子どもの側はどうでしょうか？　日欧の小中高生の生活時間についての貴志《きし》倫《のり》子《こ》さんの分析によれば（表1-2）、日本の小中高生の生活時間の特徴は、「学業」の時間がきわめて長く、代わりに「自由時間」と「家事」の時間が少ないことにあります。[13]

つまり、子どもの側も、学校や塾で忙しく、のんびりと家族と時間を過ごしたり、家庭生活を維持するための家事に参加したりする度合いが少ないのです。

このように、父は仕事、母は家事と仕事、子は勉強、といった形で、家族のメンバーがそれぞれ異なる事柄に多くの時間とエネルギーを割かれていることが、日本における家族関係のドライさにつながっていると言えるでしょう。

（単位：分）

		日本	ブルガリア	エストニア	フィンランド	フランス	ドイツ	イタリア	ラトビア	リトアニア	ポーランド	スロベニア	スペイン	イギリス
小中学生 (ISCED 1-2)	個人的ケア	688	745	699	685	751	709	732	722	717	695	697	749	716
	仕事	1	1	4	4	13	7	5	9	2	8	6	6	4
	学業	375	221	245	172	213	191	265	184	232	251	238	240	234
	家事	24	48	65	54	77	60	30	62	68	61	58	56	48
	自由時間	282	377	363	432	328	391	336	380	354	343	372	320	350
	移動	66	46	60	70	56	77	70	79	64	75	67	67	76
	その他	3	2	4	22	2	4	2	4	4	6	2	2	12
高校生 (ISCED 3-4)	個人的ケア	627	719	660	650	739	679	683	673	685	674	649	698	681
	仕事	23	6	17	37	38	32	14	30	12	41	34	9	47
	学業	413	239	245	191	216	192	280	219	252	204	252	290	205
	家事	21	57	79	75	71	62	42	84	69	80	73	51	64
	自由時間	262	345	361	392	311	382	319	350	338	342	335	321	345
	移動	89	72	73	86	64	88	100	80	80	92	94	70	89
	その他	2	2	5	9	2	4	3	4	4	5	3	2	8
調査期間		2005年10月	01年10月｜02年10月	01年4月｜02年4月	99年3月｜00年3月	98年2月｜99年2月	01年4月｜02年4月	02年4月｜03年3月	03年2月｜8、10、11月	03年1月｜12月	03年6月｜04年5月	00年4月｜01年3月	02年10月｜03年3月	00年2月｜01年2月

注1：標本属性について、イタリアは3歳以上、ブルガリアは7歳以上、イギリスは8歳以上、フランス、ポーランドは15歳以上、その他の国は10歳以上が調査対象である。

注2：EU諸国は、小中、高校生とも国際標準教育分類（ISCED）の普通教育コースの在学者が対象。日本のISCED 1-2のデータは、小学生（10歳以上）と中学生を再集計したものである。

資料：EU諸国はHETUSデータベース、日本は総務省統計局「社会生活基本調査」（2006年）の調査票Bの表9-1より筆者が作成。

表1-2　在学者の生活時間の各国比較（総平均時間、週全体）　出典：注13の文献、表2。

家庭内の暴力

また、単にドライなだけでなく、こうした役割分担がうまくいかなくなりつつあることが、家族間の関係をきわめて悪化させる方向に作用していることをうかがわせる資料や報告も多数あります。たとえば、家庭内の児童虐待《ぎゃくたい》、高齢者に対する介護虐待、配偶者に対する暴力（ドメスティックバイオレンス、ＤＶ）やモラルハラスメントなどの数の推移を見ると、明らかに増加しています（図表は割愛）。こうした家庭内の暴力的な行為は、これまでは明るみに出ることが限られていた（隠れていた数という意味で「暗数」と言います）ものが、近年は社会的関心が高まってきたために、統計などで把握されるようになってきたという指摘もありますので、かつては本当に少なかったのかどうかについては慎重に判断する必要があります。しかし、明るみに出るようになってきたことは確かであり、それが示していることは、家族間の関係が常に幸福といえるようなものとはほど遠いということです。

さらには、暴力とは別の面で、収入や、家族以外との関係が閉ざされてしまうことにより、家族全体で文字通り滅んでしまう、つまり孤立した中で死を迎えてしまうケースも次々報道されています。これについては次項で論じましょう。

家族に求められる責任と家族間の格差

このように、日本の家族はつくることも維持することも難しくなっており、その中での関係性にも問題点が多々みられるようになっているのですが、同時に今なお様々な社会的機能を担うことが、主に政府の政策によって期待され続けています。

7年以上の長期間にわたり日本の首相を務めていた自由民主党の安倍晋三氏が病気を理由に突然退陣したあと、2020年9月14日に自民党総裁に選出されて首相の座に就いた菅義偉《すがよしひで》氏は、その決意表明において、「私が目指す社会像。それは自助、共助、公助、そして「絆」であります」と語りました。まず自助で何とかしろ、何とかできなければ周りが共助で助けろ、政府の公助は一番あとだ、政府に頼らず「絆」で助け合え、ということの言葉に対して、長引く新型コロナウイルス感染症の流行で疲弊《ひへい》していた日本社会では、批判が広がりました。それは当然です。ただし、このような発想は菅氏だけのものではなく、1955年に自由民主党が結成されて以降、政権を掌握《しょうあく》し続けてきた長い長い期間における、ほぼ一貫した方針でした。

自助、共助で何とかしろ、という考え方は、つまり「お上（政府）」に迷惑をかけずに個人や家族で稼いで生きろ、ということですが、それに留まらず、他の多くの先進諸国では公助すなわち国の政策や制度で保障されてきた事柄についても、個人や家族がしっかり担え、ということも含んでいます。1970年代後半から80年代にかけて自民党が掲げてきた「日本型福祉社会」とは、「福祉国家」であれば公的制度が担うはずの、高齢者や乳幼児、障害者、困窮者などへの生活保障とケア（世話）の提供を、日本では家族――具体的には女性――が担っていることを意味していました。しかも、そのような国家の責任を、代わりに家族に押しつけていることを、日本の「美風」として称賛してさえいたのです。

このような方向性は近年になっても続いています。それどころか、今世紀に入っていっそう強化さえされている面もあります。たとえば、2006年に新しく作り直された教育基本法では、「父母その他の保護者は、子の教育について第一義的責任を有するものであって、生活のために必要な習慣を身に付けさせるとともに、自立心を育成し、心身の調和のとれた発達を図るよう努めるものとする。」という新しい条文が、第十条に追加されました。家族が子どもの教育に第一の責任を負うということが、法律に明記されたのです。

また、生活に困窮する国民に最低限の生活を保障し扶助《ふじょ》する生活保護制度について、2013年に改正された生活保護法では、その対象となる人だけでなく、その親族の収入・資産などについても福祉事務所が調査して報告を求めることができるという規定が新設されました。「扶養《ふよう》照会」と呼ばれる規定ですが、生活が苦しい人について、「家族・親族で面倒を見ろ」という考え方が、ここでもいっそうあからさまになったと言えます。世の中には、長年会っていなかったり関係が悪くなったりしているような家族や親族がいて、そこに連絡がいくことをおそれる人たちが多くいます。この規定は、そのような人たちに、たとえ収入が断たれたり体を壊したりして暮らしていけない状況になっても、生活保護を受けることをためらうように仕向けています。

このような「家族で支えろ」という政策のあり方は、「政府は助けないよ」ということと表裏一体であることは、すでに述べました。その「政府は助けないよ」という姿勢は、たとえば、政府が国民から集めた税金を、家族を支えるためにどれほど支出しているか、という指標に表れています。出産や育児に伴う給付、児童養育家庭に対する給付(児童手当等)、保育関係給付、支援の必要な児童の保護に要する費用、就学前教育費など、主に家族の子育てを支える施策として政府が支出する費用のことを「家族関係社会給付」といいますが、その支出額が各国のGDPに占める比率をOECDのデータベースで見ると、日本はかなり低い水準にあります(図1-7)[14]。

教育費についても、児童・生徒・学生1人あたりの政府支出はOECD平均を下回り、逆に家計からの支出は多い国の一つです(図1-8)[15]。【➡第3章「学校」】

このように、政府が家族を助けてくれないことが、いっそうの少子化を招いていることに加えて、家族に押しつけられた重荷を担い続けようとしても担い切れない家族を増やしているのです。よく知られたことですが、日本の相対的貧困率は約15%で、OECD平均を上回っています(図1-9)[16]。ひとり親世帯の貧困率は世界最悪です。しかも、どんなに苦しい状態であったとしても、誰にも助けを求めることができず、苦しみを家

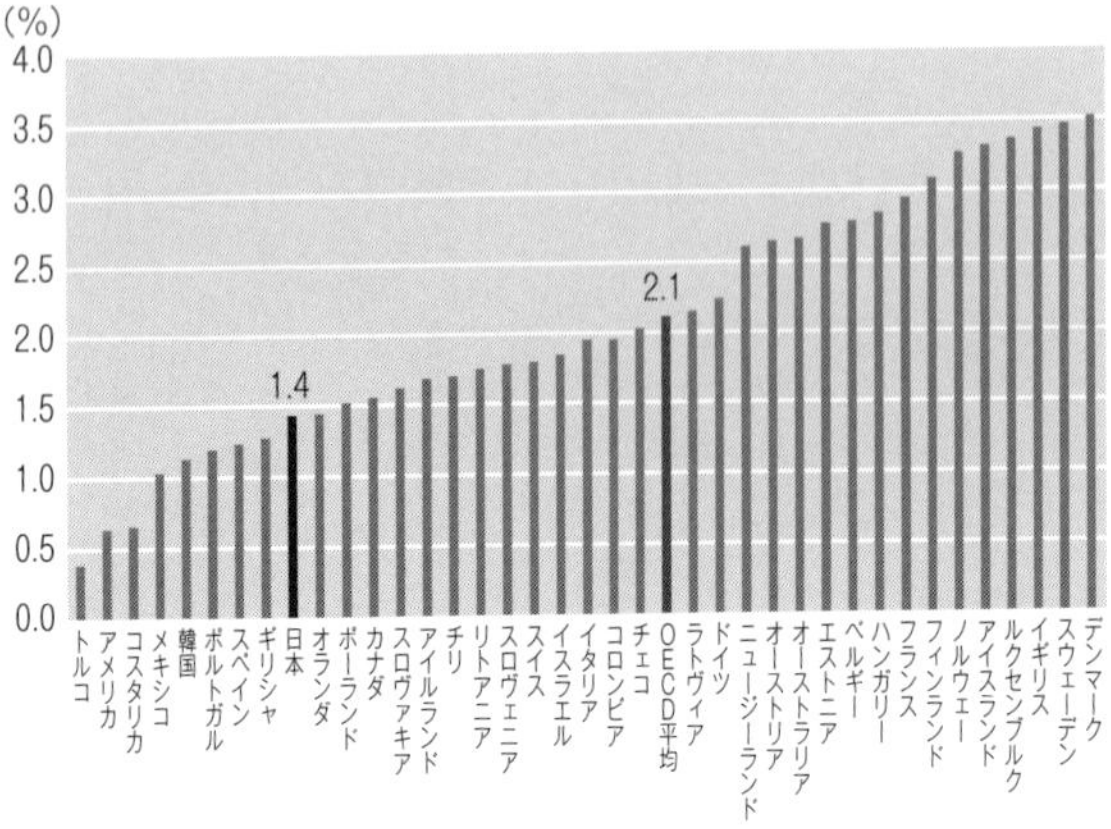

図 1-7　家族関係社会給付の対 GDP 比
データ出所：注 14 のデータから筆者作成。

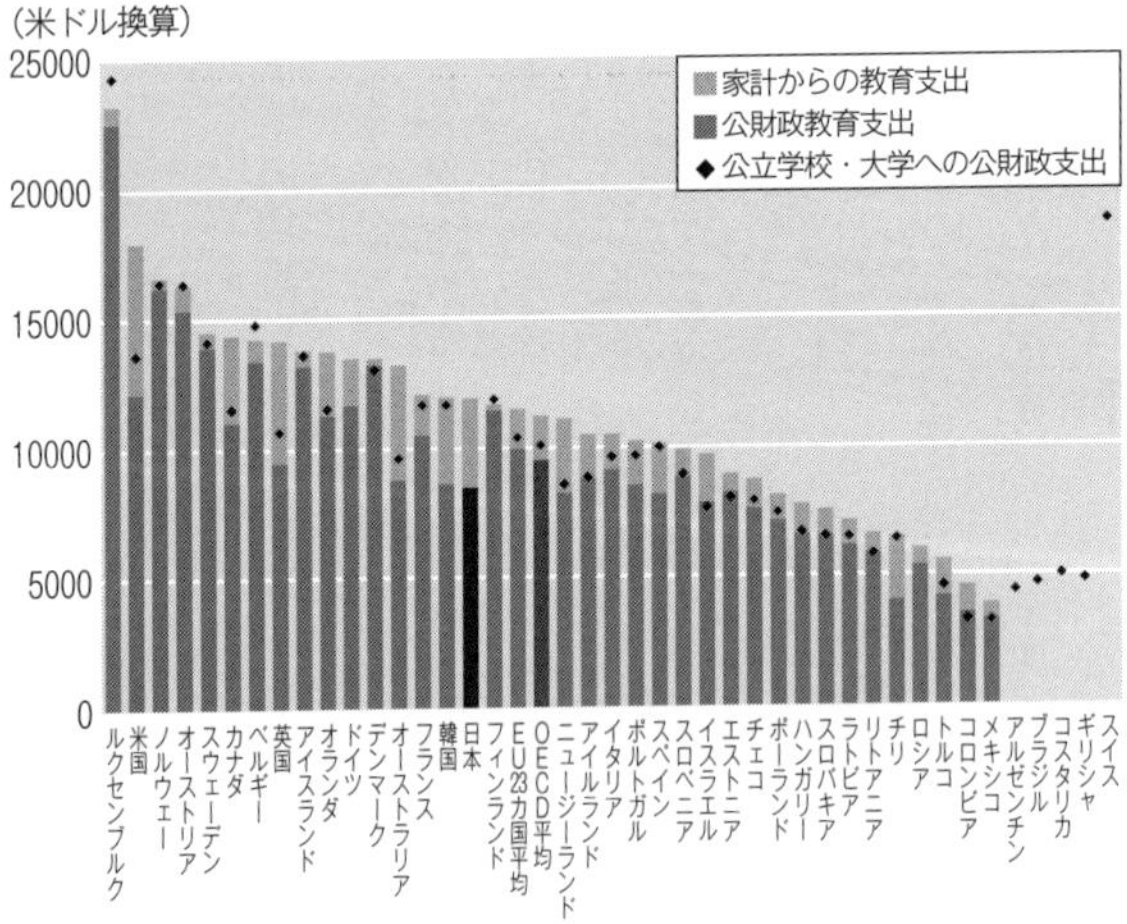

図 1-8　児童・生徒、学生 1 人当たりの年間教育支出（2017 年）
出典：注 15 の記事。

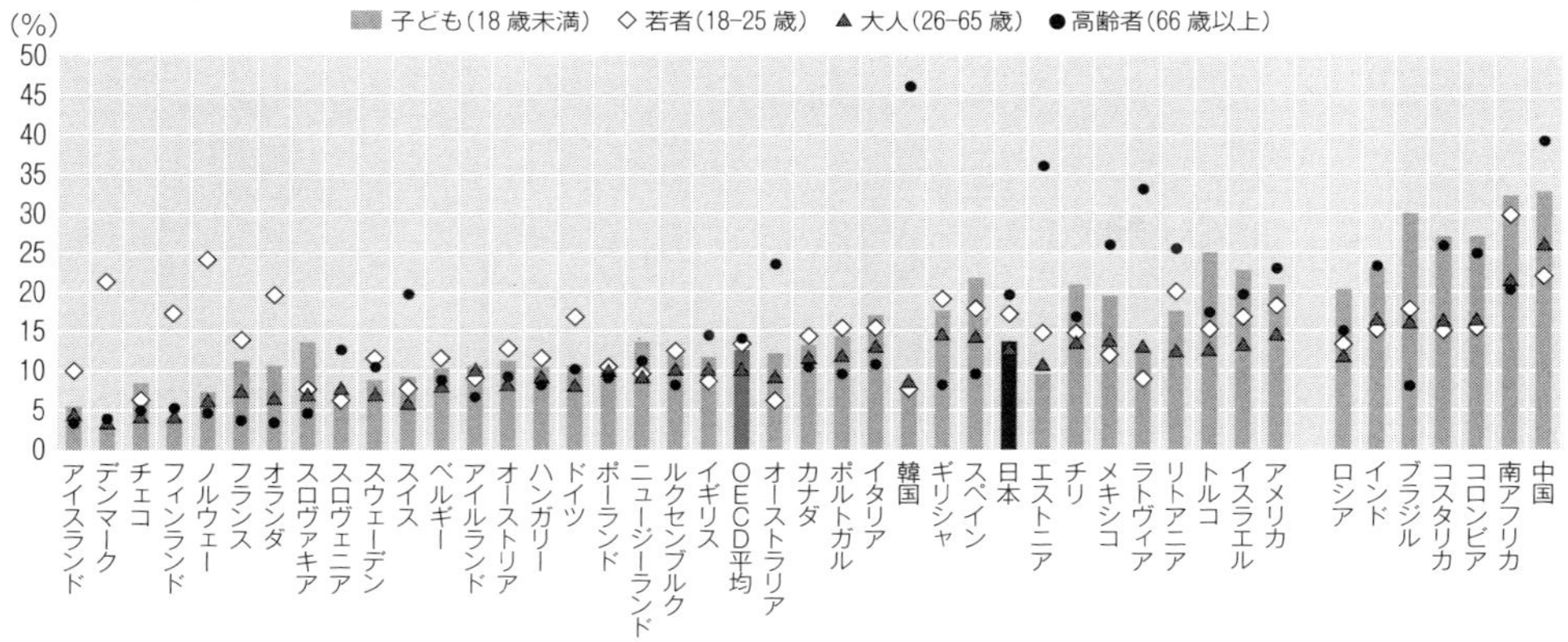

図 1-9　年齢層別　相対的貧困率

出典：注 16 の文献。

族の中だけで抱え込んでいるような場合が多いのです。こんな現状を放置してよいとはとても考えられません。

貧困とは、家族の経済的資源が不足していることを意味します。しかし、「家族」という少人数の集団には、経済的資源だけでなく、文化的資源（親の学歴や本の数、博物館やコンサートなどに行くかどうかなど）、社会関係的な資源（どんな知り合いがどれほど多くいるか）、時間的な資源（どれほど時間的な余裕があるか）などが溜めこまれており、しかもそれら諸資源の量には各家庭の間で大きな差があります。そして、そうした資源の差は、子ども世代の教育達成（学業成績や学歴）や職業達成（仕事の地位や収入）に直結しています。家族依存の強い日本社会は、家族を媒介にして格差が再生産・拡大されていく社会でもあるのです。

自由な個人へ

本章で見てきたように、日本では、一方では古い家族観が根強く、政府も家族を美化したり様々な社会的責任を押しつけたりするようなふるまいが著しいのですが、他方では現実の家族は成立や維持が難しくなったり、家族間の関係が不十分であったり壊れていたりし、また家族が人々の間の格差や分断を生み出し続けているという問題も抱えています。

日本の家族の変化は、少子高齢化といった長期的・構造的な要因を反映していますので、元に戻したりすることは容易ではありません。いま必要なのは、古い家族像を理想化したり、家族が担い切れないほどの負担を負わせたりすることではなく、どのように異例な「家族」であったとしても、あるいは一人で独立して生きていく場合であっても、安心して、かつ尊重されて人生を送れるようにすることです。そのためには、個々人を単位として、生命と生活を維持することができるためのモノ（住居や食品など）やサービス（医療や教育など）が、普遍的《ふへん》に確保できるような方向に向かっていくしかないのです。

夢のようなことを言うなって？　いえいえ、そんなことはありません。たとえば、日本にあふれている空き家や余った食品を、必要としている人に届けようとする様々な草の根的な試みが、すでに多くの場所で始まっています。それが、「公助」をさぼろうとする政府を許してしまうことにならないように、そうした基本的なモノやサービスの保障こそを「公助」の責任としていくように、人々が大声で要求していく必要があるのです。幻想の古い家族をうっとりとなつかしがってうずくまり、現実との落差にがっかりしている場合ではないのです。

そうして命と生活が確保されたところから、人々を家畜のように縛りつける、機能としての「絆」ではなく、互いに人格を認めあって関係を結ぶことができる、新しい「家族」像が立ち上がってくることになるでしょう。

第2章 ジェンダー

日本の病巣としてのジェンダー

様々な国際比較データを見ていますと、日本の問題がとりわけ際立っている事柄の一つが、「ジェンダー」面での不平等です。

ジェンダーとは、社会的・文化的につくられた、性別による違いのことを意味する言葉です。ジェンダーには、男性・女性だけでなく、いわゆるセクシャルマイノリティ（同性愛者、両性愛者、生来の身体的性別に違和を感じる人、性的アイデンティティをもたない人など。LGBTQ：Lesbian, Gay, Bisexual, Transgender, Questioning などの略称で呼ばれています。SOGI：Sexual Orientation & Gender Identity はより広い概念です）も含まれます。〝人間は男性・女性のどちらかに含まれるはずで、セクシャルマイノリティは例外的で異常だ〟という考え方自体が、社会がつくりあげた（社会学では「構築された」「構成された」という言い方をします）ものなのです。そしてもちろん、「男性とはこのようなものだ」「女性とはこのようなものだ」という、それぞれの社会で多くの人々に共有され自明視された見方も、ジェンダーをつくりあげています。

このジェンダーについては、世界の中で国や地域によって異なる実状があり、日本では特に、様々な面で女性やセクシャルマイノリティに不利な位置づけが与えられてしまっています。セクシャルマイノリティはジェンダーを考える上で本当に重要な論点なのですが、セクシャルマイノリティが国内外の統計や調査においてきちんと位置づけられている例はまだ少ないため、この章ではやむを得ず、男性と女性の間の格差や関係を主に取り上げることにします。

このテーマについて考える際には、気をつけなくてはならないことがいくつかあります。第一に、この問題には、ある程度客観的に統計などで把握することができる、地位やチャンスの分布という側面と、個々人や個別ケースにおける考えや人間関係という側面とが入り組んでいるということです。ここでは前者を「マクロ」(大きく俯瞰《ふかん》する、といった意味です)、後者を「ミクロ」(日常的な細かい個々の人々の相互作用や感じ方、といった意味です)と呼んでおきます。マクロな状況がミクロに影響し、ミクロの集積がマクロを形作ります。ミクロにはありふれていて特に問題なく見えることでも、それが積もり積もってマクロのレベルでの偏りにつながっていることがあります。これはジェンダー以外の社会事象についても言えることですが、特に日本社会のようにジェンダーをめぐる問題が広く深く根を張っている社会では、こうしたマクロとミクロの関係にひときわ敏感である必要があります。

第二に、男性も女性も、それぞれまったく一枚岩ではないということです。本章で見ていくように、日本の男女間の格差は著しいのですが、男性の内部、女性の内部にも大きな格差や違いがあります。ですから、「男性はみんな女性より恵まれている」といった表現は雑すぎ、正確ではありません。統計的な分布の違いなど、男女間で比べた時に見出されている相対的な違いは何かという観点から、男性と女性の置かれている状況を把握しておく必要があります。

第三に、「男性と女性との間に格差や境遇の違いがあっても、別に本人が満足していればいいんじゃない？」とか、「それが〝本来の〟あり方だし、何が問題なの？」といった反論は、間違っているということです。先述のマクロ・ミクロという点ともかかわりますが、個々人がそれを受け入れていても、それが積もり積もって社会全体にもたらす弊害があまりに大きい場合、放置しておくことはできません。また、性別について、何らかの〝本来の〟あり方を想定し自明視すること（これは「本質主義」と呼ばれます）

自体を問い直す考え方が「ジェンダー」ですし、長い歴史や多くの社会の状況を検討すれば、男性と女性の位置づけや役割は非常に多様で、〝本来〟などというものがあると考えることはできないことがわかります。

第四に、複雑で根深いジェンダーの問題を解き明かすために、これまで様々な概念がつくられています。それらの意味を正確に理解し、自分の周囲や社会現象をうまく説明できるようになることが重要です。

以上の、少なくとも4つの点をふまえた上で、以下ではデータに基づいて、日本におけるジェンダーをめぐる異常な状況を確認していきましょう。

公的な立場から排除される「女性」

ジェンダーに関する国際比較データとして有名なものが、世界経済フォーラムが毎年公表しているジェンダーギャップ指数ランキングです。このランキングにおいて、日本は継続的に低いランクにあります。2021年3月31日に公表された結果では、総合ランクは対象国156カ国中の120位です。この総合ランクは、「経済活動への参加と機会」「教育達成」「健康と寿命」「政治的エンパワーメント」という4つの指標から構成されており、日本の4指標別の順位は順に117位、92位、65位、147位です。日本では「政治的エンパワーメント」に関するジェンダーギャップのランクがもっとも低く、次いで「経済活動への参加と機会」もかなりランクが低いことがわかります。

これら4つの指標は、さらにそれぞれいくつかの項目から算出されており、全項目について日本の順位を示したものが表2－1です。

識字率、初等教育就学率、性別出生率（生まれた子どもの中での男女の偏り）は「1位」となっていますが、これは日本が目立ってトップというわけではなく、これらに関してジェンダーギャップ（男女差）がほとんどない多数の国々（識字率49カ国、初等教育就学率74カ国、性別出生率116カ国）の中に日本も含まれているということです。中等教育（中学・高校）就学率は、就学者の中の男女比として「女：男＝48・8：51・2」という数値が使われてこの順位になっています。また、過去50年間の女性首相在位年数は「76位」となっていますが、言うまでもなく日本はこれまで女性が首相になったことがない、つまり女性首相在位年数が「0年」なので、それでも76位ということは、

156カ国中81カ国は、過去50年間に女性首相がいなかったことを意味します。

この表2－1を見ると、とりわけ日本の順位が低いのは、国会議員の女性比率（140位）と、管理職の中に女性が占める比率（139位）です。それぞれについて具体的な数値を見ましょう。国会議員に関する図2－1、管理職に関する図2－2のどちらについても、2019年のデータがあるOECD諸国の中で、日本は断トツ（突出して下位なので断凹＝断ボコ）で最下位です。日本の管理職の女性比率は、長期的にじわじわ増えてきてはいるのですが、増え方があまりにも遅く、世界に完全に置いていかれています。

	ジェンダーギャップの順位
経済活動への参加と機会	117
就労率	68
同じ職業における賃金格差	83
収入格差	101
管理職の女性比率	139
専門技術職の女性比率	105
教育達成	92
識字率	1（同順位 49 カ国）
初等教育就学率	1（同順位 74 カ国）
中等教育就学率	129
高等教育就学率	110
健康と寿命	65
性別出生率	1（同順位 116 カ国）
健康寿命	72
政治的エンパワーメント	147
国会議員の女性比率	140
閣僚の女性比率	126
過去 50 年間の女性首相在位年数	76（同順位 81 カ国）

表 2-1　指標・項目別　日本のジェンダーギャップ（2021 年）の順位（156 カ国中）

出所：World Economic Forum, 2021, Global Gender Gap Report 2021: 233.

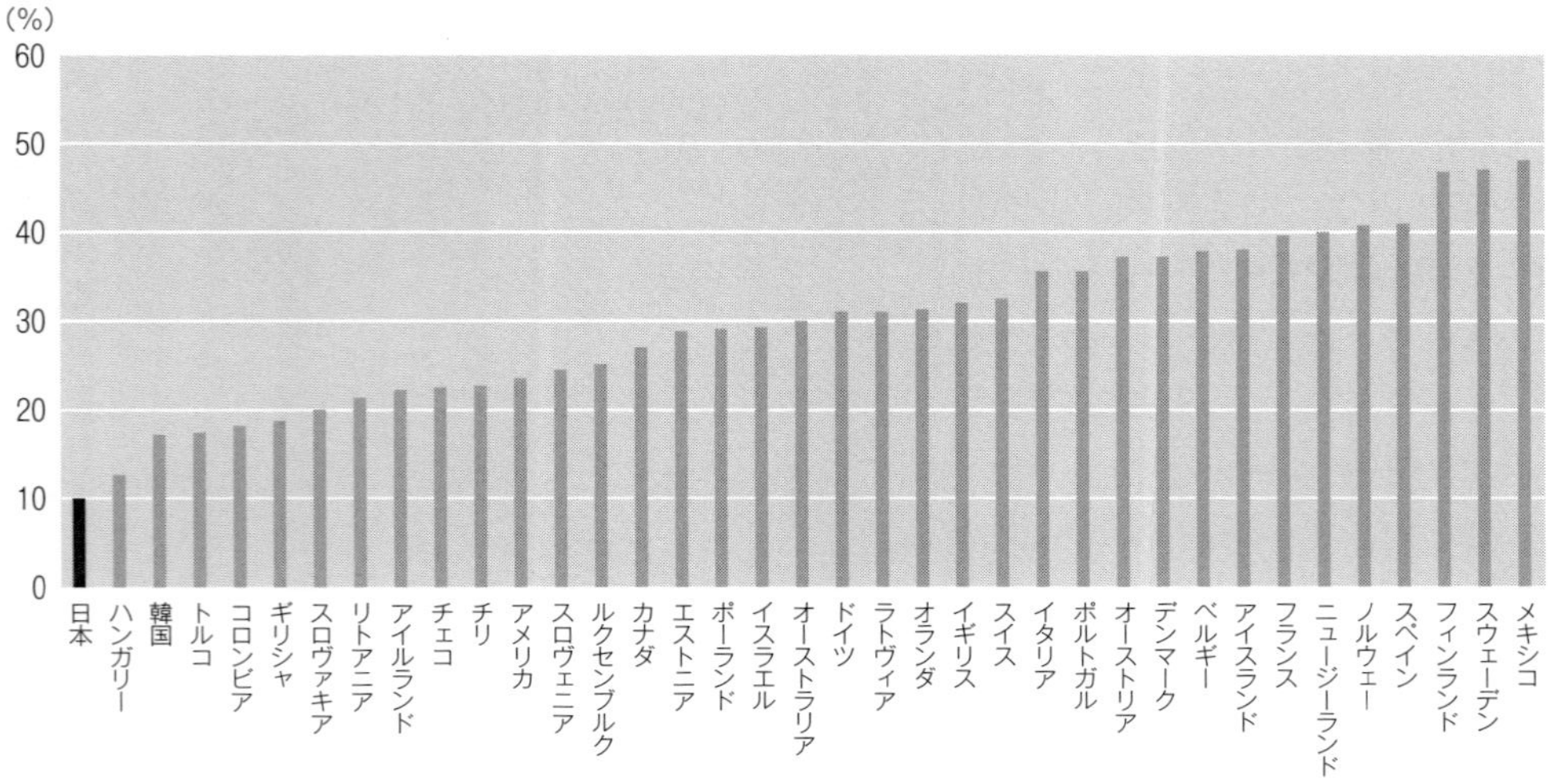

図 2-1　国会議員に占める女性比率（OECD37カ国、2019 年）
データ出所：OECD (2021), Women in politics (indicator) より筆者作成。

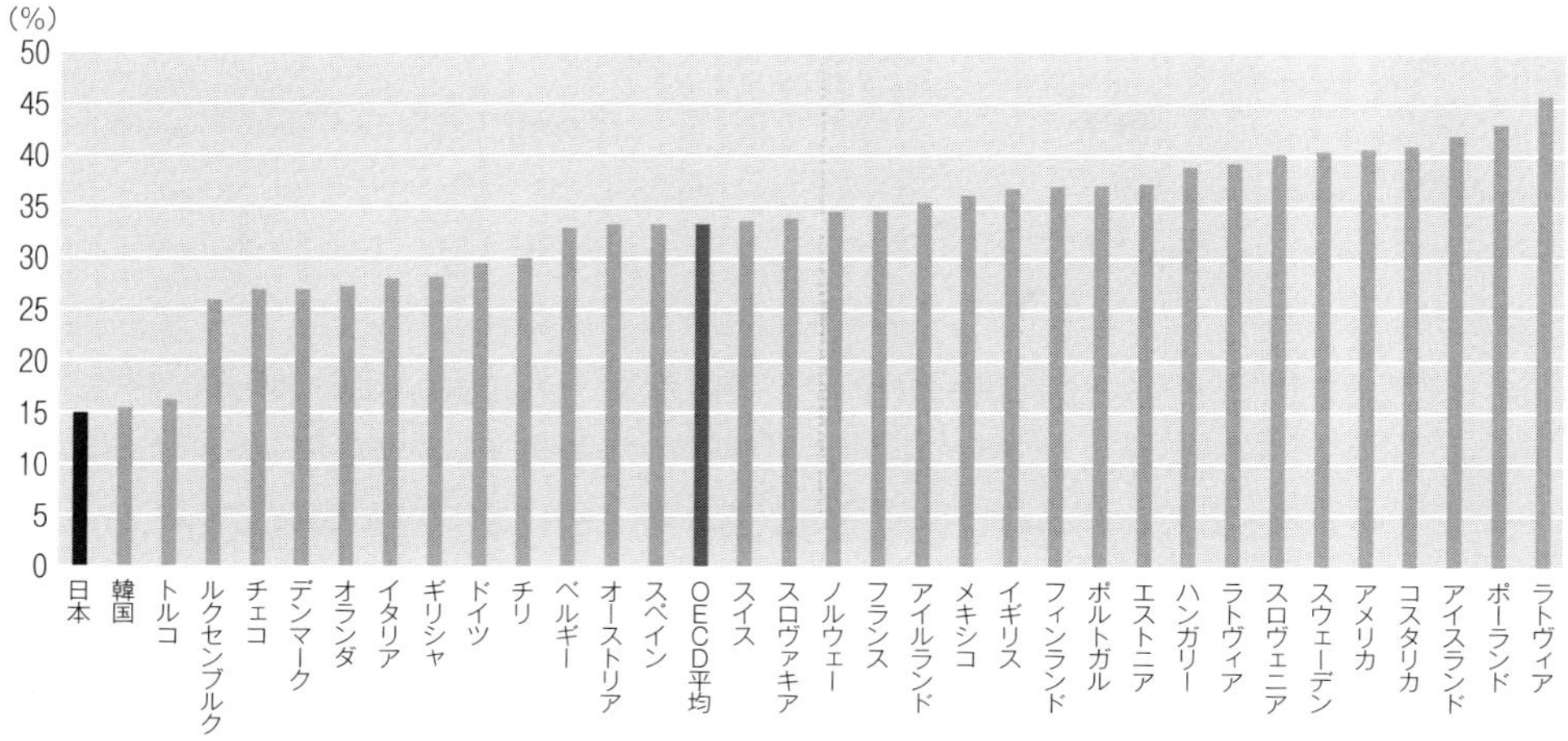

図 2-2　企業の管理職に占める女性比率（OECD33カ国、2019 年）

データ出所：OECD.Stat - Employment: Share of female managers より筆者作成。

ジェンダーギャップ指数については、使用されている項目や指標が不十分であるといった批判もあります。他の国際指数として、国連開発計画が作成している「ジェンダー不平等指数」というものもあり、この指数には妊産婦死亡率や思春期出生率など、どちらかといえば途上国を念頭に置いた項目も含まれています。そのため、日本の順位は2020年に162カ国中24位と、それほど低くありません。このようなランキングでは、どのような項目を使うかによって各国の見え方が大きく変わってくることに常に注意が必要であり、多様な個別の項目を細かく検討してゆくことが求められます。

重要なのは、日本のジェンダー面での異常さを示すデータは、先のジェンダーギャップ指数に使われているもの以外にも多数あるということです。すべてのデータを図表で示すには紙幅が足りないので割愛しますが、日本の男女間の賃金格差はOECD加盟国内でワースト3に入るほど大きいですし、企業の取締役、研究者、医師、法律職、公務員、教員、校長、大学の理工系分野の在学者などに占める女性比率も、どれも最低レベルです。社会的地位・収入・専門性・権力・発言力などと結びついている「公的」な立場に就いている女性の比率が、日本では圧倒的に低いのです。

仕事の中での不平等

ただし、先の表2－1の就労率の欄を見ると、日本の順位は特に低いわけではありません。つまり、働いている女性は約7割とかなり多く、OECD平均の6割を上回っています。[17] しかし、仕事の世界の中で、日本の女性は特定のところに偏るように位置づけられています。たとえば、働く女性（在学中を除く）の中で57・7％は非正規雇用（雇用に期限がある、勤務時間が短いなど）であり、男性の22・8％とはかけ離れて多くなっています。その結果、正社員の中で、女性は4分の1を占めるにすぎません。

しかも、その正社員の内部も、いわゆる「コース」によってさらに区切られています。令和元年の厚生労働省の調査によれば、女性の正社員の中では、補助的な事務作業などを担当するような「一般職」のコースが4割以上を占めており、男性では「総合職」（厚生労働省の定義では「基幹的な業務や総合的な判断を行う業務に属し、勤務地の制限がない職種」とされています）が過半数であることに比べると、やはり違いが明確です（図2－3）。コース制実施企業の採用者の中で見ても、「総合職」の中では男性が約8割、

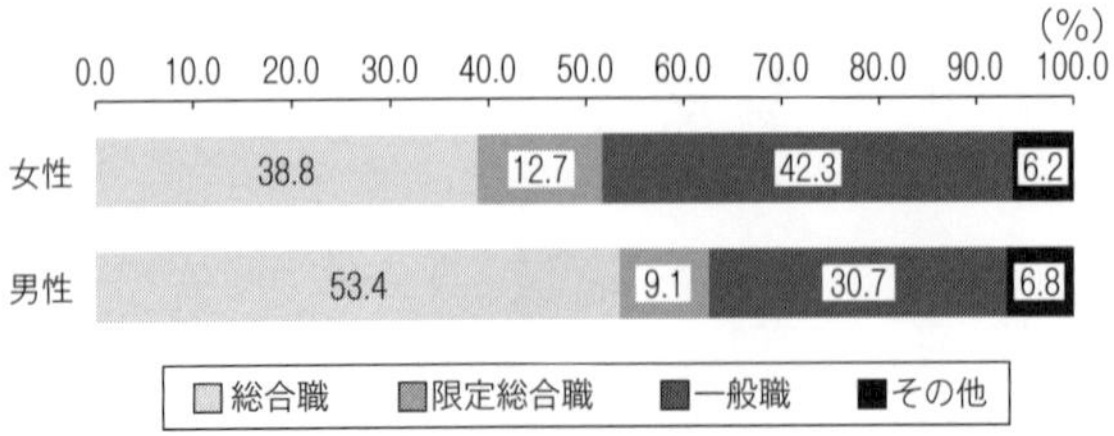

注：職種については、コース別雇用管理制度の有無にかかわらず、実質的に近い職種を調査した。

図 2-3　男女別職種別正社員・正職員割合
出典：厚生労働省「令和元年度雇用均等基本調査」図 2。

逆に「一般職」の中では女性が約8割という、非対称なジェンダー構成になっているのです。[18]

加えて、職種をより細かく見ると、保育士・幼稚園教諭、看護師、歯科衛生士などは9割以上、介護職や美容師、エステティシャンなどは7~8割を女性が占めていて、これらは「女性職」と呼ばれることもあります。「女性職」には、人の世話（「ケア」）や美容関係など、家庭の中で女性が妻や母親として担当している内容に近いとみなされる仕事が多いと言われます。

つまり、仕事の世界では、女性は不安定な非正社員、補助的な業務、特定の仕事などに集中する傾向があり、男性との間で「棲《す》み分け」が起きていると言えるのです。

実現できていない「女性活躍」

なぜこのように、日本の女性は総じて「公的」な立場から排除され、仕事の世界でも男性と同じような役割を担いにくくなっているのでしょう？　これについては本章の後半で踏み込んで説明しますが、もっとも重要な理由は、日本では今なお「女性は家庭の主な担い手」と明に暗に考えられている度合いが強いということです。

それによって、これまで主に男性が就いてきたような仕事や立場に女性が就こうとしても、「どうせ結婚して子どもができたらやめるのだろう」「家事・育児の片手間にできるような仕事ではない」などという判断が働いて、社員の採用や選挙での投票などの場面で女性が選ばれにくい（これを「統計的差別」と呼びます）結果になっているのです。また女性の側にも、男性が主に担っているような立場に就くことに、つい消極的になってしまい、社会で「普通」とされている女性の位置づけを自ら「そういうものだ」と考えて選んでしまうという側面がないとは言えません。

2012年から2020年まで続いた安倍政権は、「女性活躍」をスローガンに掲げていました。でも、政治や経済などの場面で女性が男性と同様に「活躍」する状況は、日本ではまったく実現できていません。むしろ、先進諸国の中で最悪とも言えるような状態にうずくまり続けているのが日本なのです。この状況は、人口の半分を占める女性が、意見やアイデアや知識・スキルを世の中で広く発揮することができていないという、きわめて歪んだ不公正な社会であるということにほかなりません。

男性の「家庭進出」の停滞

女性が「公的」な場で存在感が薄いことと表裏一体の現象が、男性の「私的」な場――特に家庭――での「活躍」の度合いの低さです。図2－4は、1日あたりの「無償労働」（収入に結びつかない労働のこと、その多くは家事・育児・介護が占める）時間の国際比較です。どの国でも女性のほうが長いことは共通しているのですが、日本の男性の無償労働時間はデータのある30カ国の中で最低です。先の図2－1・図2－2と同様に、日本は多数の国の中で端っこの端っこにある、つまり極端すぎるのです。

日本に関して、家事・育児・介護にかける1日あたりの時間の推移を見ると、女性は全年齢の平均で1996年には214分だったものが、2016年には208分でほと

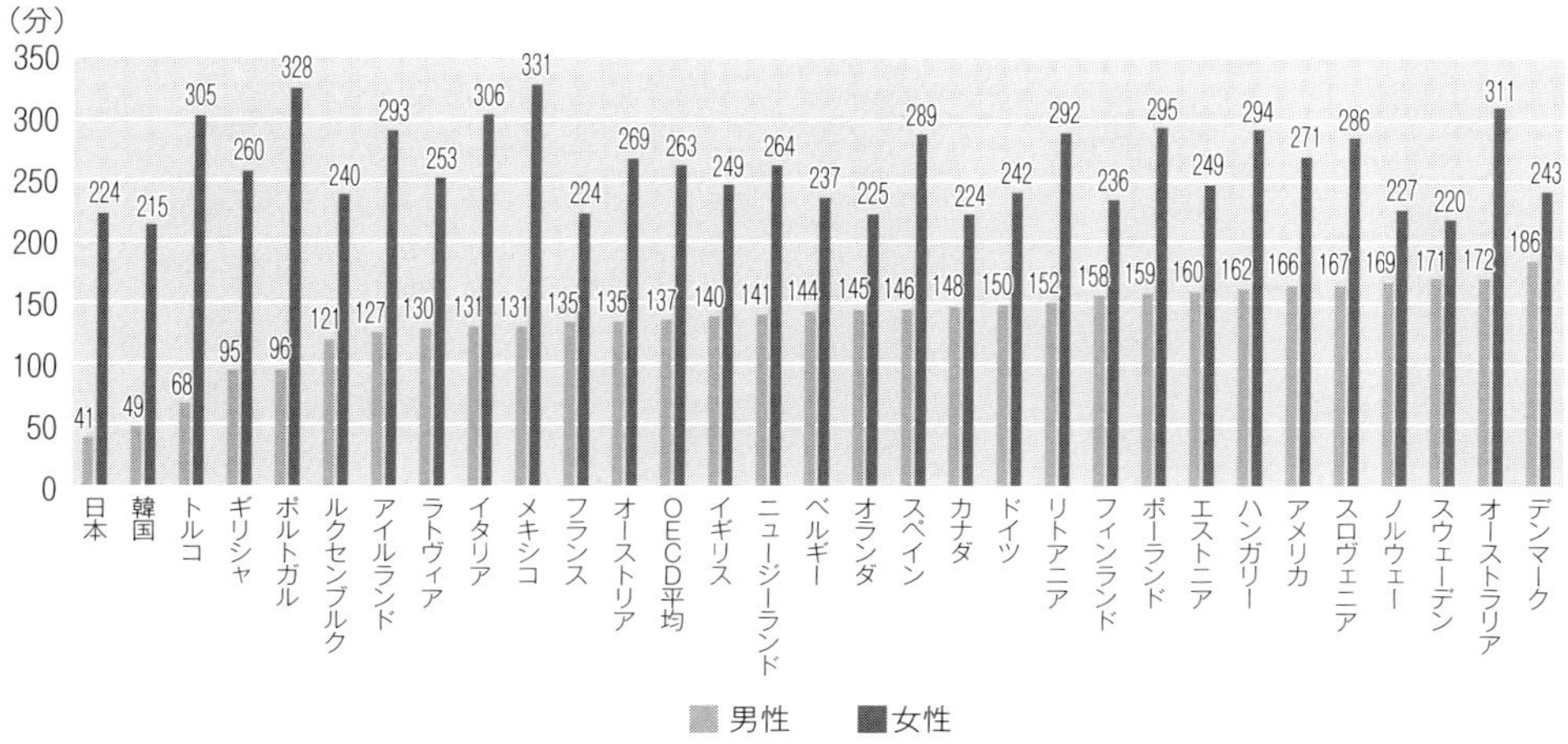

注：無償労働には、家事、育児、介護、買物、ボランティア、その他の無償労働を含む。

図2-4　性別　1日当たりの無償労働時間（15-64歳）

データ出所：OECD.Stat – Time spent in unpaid work より筆者作成。

んど変化はありません。[19] 男性は１９９６年には24分にすぎず、２０１６年には44分と20分増えていますが、女性との落差はいまだ大きいままです。

小さい子どもがいる年齢層にあたる30代について見ても、２０１６年時点で女性は２７３分、男性は50分で、男性が短いことに変わりはありません。ちなみに、30代の仕事時間は女性で平均２４９分、男性で４９２分です。「男は仕事、女は家庭」と言われることがしばしばありますが、30代の女性が全体平均で1日4時間以上、家庭の外で働いている（これはもちろん、もっと長く働いている女性も、もっと短い時間働いている女性もいるのをならした時間数です）ことからもわかるとおり、正しくは「男は仕事、女は仕事も家庭も」なのであり、男性は家庭という私的な生活の場を維持するための「活躍」をしないですませているのです。

なお、「夫は外で働き、妻は家庭を守るべきである」ことに賛成するか反対するかについての内閣府の意識調査の結果では、１９９２年には「賛成」と「どちらかといえば賛成」の合計（年齢・性別計）が60％を占めていましたが、２０１９年時点では35％にまで下がっています。[20] ここから、意識の面では変わってきていると言えるかもしれませんが、賛成が減っていることが意味しているのが、もし「男は仕事、女は家庭」から「男は仕事、女は仕事も家庭も」が望ましいとする方向への変化にすぎないのであれば、望ましい変化とは言い切れないことになります。【➡第1章「家族」】

「ケアレスマン」が前提になった社会

「ケアレスマン・モデル」という言葉を聞いたことはないでしょうか。「ケアレス」というと「ケアレスミス」を連想して、うっかりやさんのことかと思うかもしれませんが、違います。「ケア」は「お世話」のこと、「レス」は「〜がない」という意味で、「ケアレスマン」とは「人や自分のお世話（つまり家事・育児・介護）をしないですんでいる男性」のことです。日本の男性の多くはこれにあてはまります。そこに「モデル」という言葉がくっついているのは、「ケアレスマン」を前提として、日本の「公的」な場がつくられているということを言い表そうとしています。

重要なのは、日本の男性のように極端に「ケア」の時間が短いということは、自分が人の世話をしないだけでなく、自分が誰か（多くは女性）にお世話をしてもらっているということです。食事、洗濯、掃除といった、生きていく上でごくごく基本的な事柄を、人（女性）にやってもらって、それに依存し甘えて生きているのが多くの日本の男性なのです。そういう存在が「公的」な場をほぼ独占しており、そのぶんだけ、男性がしない「ケア」を担い続けている女性たちをその場から排除してしまっている。これは大きな問題です。

しかも、男性も女性も、「そういうものだよね」とかなり思ってしまっていることが、より深い問題です。家事分担に関する不公平感について国際比較分析を行った、社会学者の不破《ふわ》麻紀子さんと筒井淳也《じゅんや》さんによる研究は、興味深い発見をしています。[21] 図2－5を見てください。図の中に散らばっているのが分析対象の国々で、横軸はそれぞれの国において家事全体の中で妻が担当している比率、縦軸はそれぞれの国で妻が家事分担を不公平だと感じている度合いです。図の中に引いてある3本の直線は、各国の散らばり方の傾向をできるだけよく表すように算出された「回帰直線」です。

この図が興味深いのは、対象国全体だと回帰直線の傾きはほぼ平らで、つまり縦軸と横軸との間にあまり関係がないように見えるのですが、対象国を、妻の家事分担比率が

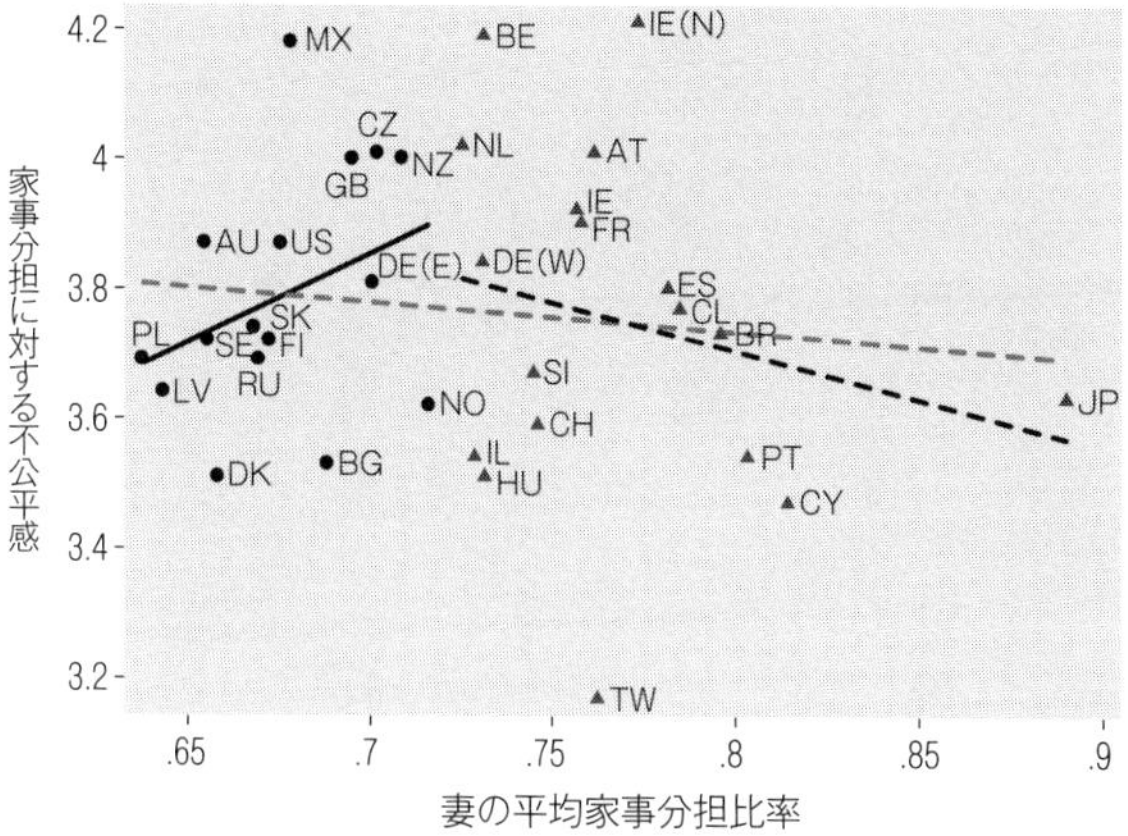

AT：オーストリア、AU：オーストラリア、BE：ベルギー、BG：ブルガリア、BR：ブラジル、CH：スイス、CL：チリ、CY：キプロス、CZ：チェコ、DE（E)：ドイツ（旧東ドイツ地域)、DE（W)：ドイツ（旧西ドイツ地域)、DK：デンマーク、ES：スペイン、FI：フィンランド、FR：フランス、GB：イギリス（北アイルランド除く)、HU：ハンガリー、IE（N)：イギリス（北アイルランド地域)、IE：アイルランド、IL：イスラエル、JP：日本、LV：ラトビア、MX：メキシコ、NL：オランダ、NO：ノルウェー、NZ：ニュージーランド、PL：ポーランド、PT：ポルトガル、RU：ロシア、SE：スウェーデン、SI：スロベニア、SK：スロバキア、TW：台湾、US：アメリカ

図 2-5　家事分担比率と不公平感の分布図

出典：注 21 の文献、図 1。

低い国々と高い国々に分割してみると、左側の、妻の家事分担比率が低い国々では右上がりの分布になる、つまり家事分担が多くなるほど妻は不公平だと感じるのに対して、右側の、妻の家事分担比率が相対的に高い国々では、右下がりの分布になっている、つまり妻が家事を担当すればするほど、むしろ不公平感が下がるような傾向が見いだされるということです。そして、日本は「ＪＰ」という記号で表されているのですが、どこにあるか見つかったでしょうか？　はい、右のほうにぴょーんと離れているのが日本です。日本は妻の家事分担比率がとても高いのに、不公平感はかなり低い国の典型です。

この分析結果からは、あまりにも偏った状態の国で暮らしていると、何が「普通」で「当然」なのかについて、感覚が麻痺《まひ》してくるということが読み取れます。日本はその最たる国とも言えるでしょう。

日本について、幸福度や自殺率や寿命に関しては女性のほうが男性よりも良い数字が出ている、ということが指摘されることがあります。[22]実際に、国際比較調査からも、そのような傾向が確認されます。また、「日本では家計の財布を握っているのは女性なので、女性は強い」と言われることもあります。これも確かに、他国と比べてもそのような家計の管理の仕方をしているケースは日本で相対的に多くなっています。[23]

これらは、一方では「公的」な場での活動はそれなりにプレッシャーなども大きく、男性が「男はつらいよ」状態にあること、他方では女性も主に「私的」な場でケアや家計管理を担うことを「そういうもんだ」と思って満足してしまっていることが原因と考えられます。しかし、「幸福」だと思っているからそれでいい、と言うことはできません。個人にとっても、「女性が財布を握っている」ことは「誰が稼いでると思ってるんだ！」という男性側の「強さ」と表裏一体ですし、もし何かの事情で離婚することになれば、女性は一挙に「財布」を失います。しかもジェンダー間に現実として存在する偏りや歪みは、マクロな社会全体の仕組みにおける不公正や不効率をもたらすので、ミクロな個々人が「それでいいんだ」と思っていることによっては正当化されえないのです。

浸透する「〜らしさ」の罠

なぜ日本ではこのような、世界的に見ても異様なほどの、男女間の偏りが見られるのでしょうか。重要な要因として、「働き方」の問題があるのは確かです。会社が長時間労働や会社への献身を、働く人にいまなお要請しているということが、仕事以外の場で男性を「ケアレスマン」にしてしまっており、女性がその穴を埋めざるをえなくなっている、ということは、いくら強調してもしすぎることはない問題です。長時間労働の是《ぜ》正《せい》に関して、企業の責任は重い、ということです。【➡第5章「経済・仕事」】

ただ、現状が維持されてしまっている理由については、「働き方」だけに還元することができない、人々の間に浸透してしまっている「男らしさ」「女らしさ」についてのイメージの影響が大きいということを、改めて指摘しておく必要があります。それはあまりにも「あたりまえ」のこととして根づいているので、気づかれることすら少なかったりします。だからこそ、いっそう深刻な問題なのです。

ジェンダーに限らず、「〜らしさ」のイメージは世の中にあふれています。こうした「〜らしさ」のことは、「ステレオタイプ」と呼ばれます（よく似た意味で「無意識のバイアス」と呼ばれることもあります）。ステレオタイプとは、仮に肯定的なニュアンスをもつもの（たとえば「女子力」）であっても、個々人の行動や意識、扱われ方を一定の方向にしばる弊害をもちますし、ましてや否定的なニュアンスをもつ場合（たとえば「女々《めめ》しい」）は、不合理な差別に結びつきます。

ジェンダーに関するステレオタイプについて、ある研究では、男性、女性、組織のリーダーに関する「望ましい」行動特性を人々がどのように考えているかを調査し、男性とリーダーの「望ましい」行動特性は似ている（「責任感がある」「行動力がある」など）のに対し、女性のそれ（「思いやりがある」「友好的である」など）は異なっていることを明らかにしました。[24] このように、多くの人々が思い浮かべる「男らしさ」と「リーダーらしさ」は似ているのに、「女らしさ」はそれらとは違っていることが、何らかのリーダー的な立場に女性が選ばれにくく、また女性の側をリーダー的な立場に就くことに消極的にさせていると考えられます。男性と比べて女性はリーダーになることを希望する比率が小さいということは、他の調査でも確認されています。[25]

別の調査では、まったく同じ条件の履歴書で、名前だけを女性のような名前と男性のような名前の二通りにして、企業の採用担当者の採用・不採用の判断をたずねるという実験をしました。すると、企業が採用したいと思う比率は、女性名の場合よりも男性名の場合に、明らかに高くなったのです。[26]

同様のステレオタイプの影響は、他の事柄についても指摘されています。日本では大学における女性の専攻分野選択が文系に偏っている、つまり理系を選択しにくい傾向があることがずっと指摘され続けていますが、ここにもステレオタイプが暗躍しているのです。図2-6は、機械工学、物理学、数学、情報科学、化学、生物という6つの理系の分野について、「男らしい」=5点〜「女らしい」=1点で一般の人々にイメージをたずねた結果です。[27] いずれの分野も中央の3点を超えており、「男らしい」イメージが強いことがわかります。特にそれが強いのは機械工学で、また、女性のほうがこれらの分野を「男らしい」と思う度合いが強いことも確認されました。

さらに、表2-2と表2-3は、OECDが15歳を対象として国際的に実施している「生徒の学習到達度調査」PISA(Programme for International Student Assessment)のデータを使って、教育社会学者の古田和久さんが分析した結果です。日本の学力の男女差と、数学および科学に関する自己概念(自分がそれらの科目を理解できていると感じているかどうか)の男女差を示しています。[28] 表2-2の右端の「p値」という欄が0・1より小さければ、男性と女性との間に統計的に意味のある差があることを意味します。

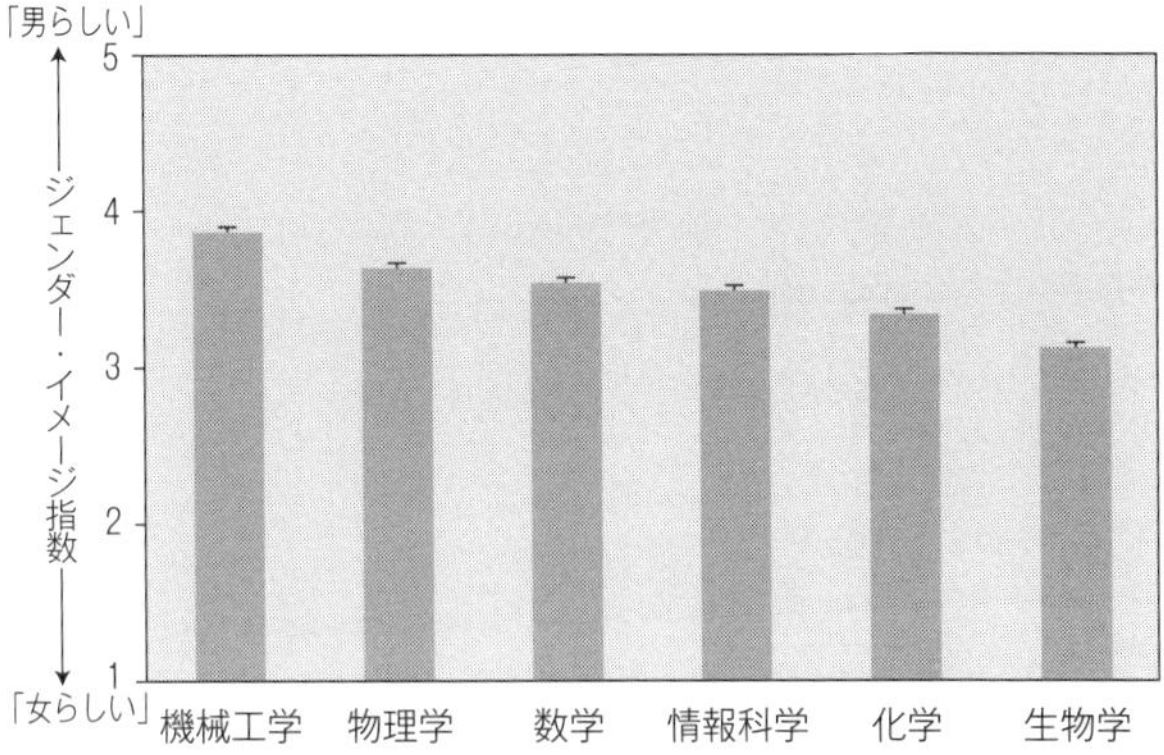

注：各棒グラフの上の┬の印は、標準誤差を示す。

図 2-6　6 つの理系分野のジェンダー・イメージ

出典：注 27 の文献、Figure 1。

領域	女性	男性	差	標準誤差	t 値	p 値
2003 年（N=4,488）						
数学	−0.016	0.082	−0.098	0.060	−1.644	0.105
読解	0.128	−0.068	0.196	0.051	3.845	<0.001
読解−数学	0.218	−0.226	0.444	0.037	12.115	<0.001
2006 年（N=5,698）						
科学	−0.022	0.030	−0.053	0.073	−0.722	0.474
読解	0.146	−0.126	0.273	0.073	3.733	<0.001
読解−科学	0.315	−0.292	0.607	0.047	12.797	<0.001

注：すべて標準化済み。

表 2-2　学力の男女差

出典：注 28 の文献、表 2。

２００３年の数学、２００６年の科学のどちらについても、ｐ値は０・１を超えており、男女間で成績に差があるとは言えません（読解については女性のほうが成績が良く、数学や科学の成績を読解が上回っている度合いも女性のほうが大きいことがわかります）。そして表２－３を見ると、数学や科学について、女性は男性と比べて「理解できている」という主観的な回答の割合が少なく、自信がないことが読み取れます。成績に差はないのに！

このような、「理系は男らしい」「理系は女らしくない」、「男は理系に強い」「女は理系に弱い」というジェンダー・ステレオタイプが、女性を理系の分野を学ぶことから遠ざけてしまっているのです。実際に、国立教育政策研究所の調査結果によれば、高校３年時に「理系コース」に属している割合は、男子生徒では27％に対し女子生徒では16％、逆に「文系コース」の割合は男子が38％、女子が54％で、女子は文系に偏っています。[29]こうした高校時点のコース分けが、大学進学時の学部選択に影響することは言うまでもありません。女性が本来もっている、理系分野でも活躍できる可能性がつぶされてしまっているというのは、何ともったいないことか。

数学　2003年（N=4,488）　(%)

	全くその通りだ	その通りだ	その通りでない	全くその通りでない	計 (N)
Q. 数学では良い成績をとっている					
女性	3.9	21.0	47.5	27.6	100.0 (2331)
男性	5.7	26.0	47.9	20.3	100.0 (2157)
計	4.8	23.4	47.7	24.1	100.0 (4488)
x^2=44.655、df=3、p<0.001、Cramer's V=0.100					
Q. 数学の授業ではどんな難しい問題でも理解できる					
女性	1.4	5.7	40.1	52.9	100.0 (2331)
男性	2.6	10.7	53.2	33.4	100.0 (2157)
計	2.0	8.1	46.4	43.5	100.0 (4488)
x^2=183.954、df=3、p<0.001、Cramer's V=0.202					

科学　2006年（N=5,698）　(%)

	全くそうだと思う	そうだと思う	そうは思わない	全くそうは思わない	計 (N)
Q. 授業で教わっている理科の考え方はよく理解できている					
女性	2.5	28.8	45.0	23.6	100.0 (2868)
男性	7.7	37.1	38.3	16.8	100.0 (2330)
計	5.1	33.0	41.7	20.2	100.0 (5698)
x^2=154.196、df=3、p<0.001、Cramer's V=0.165					
Q. 私にとって理科の内容は簡単だ					
女性	0.8	5.5	50.4	43.3	100.0 (2868)
男性	4.8	15.9	53.1	26.3	100.0 (2330)
計	2.8	10.6	51.8	34.9	100.0 (5698)
x^2=348.810、df=3、p<0.001、Cramer's V=0.247					

注：各科目について性別との関連が最も小さい項目と最も大きい項目のみ表示した。

表2-3　学業的自己概念の男女差

出典：注28の文献、表3。

ステレオタイプは偏見ではなく実際に男女にはそのような違いがあるのだ、と主張する人もいるかもしれません。しかし、近年の研究の蓄積から、そのような主張が疑わしいことが明らかになっています。脳科学などでは、男女間にやや違いが見られる場合でも、それより男性・女性内部の個々人による違いのほうが大きいということが検証されています。[30]「女性は子どもを産む性だから」という主張も常にありますが、一人の子どもの妊娠・出産に関連して母性保護のために女性が社会活動を止める必要がある期間はせいぜい3カ月間くらいで、他の養育は母親以外が代わりにできる事柄がほとんどです。数カ月のことで女性の一生が大きく制約されるのは、いかにも不合理です。それにもかかわらず、「男性」「女性」という大きなくくりで違いを強調することは、やはり偏見・差別とみなさざるをえません。

ジェンダー・ステレオタイプが充満する社会

このステレオタイプは、社会の中のあらゆる場所で、様々なメッセージとして降り注いでおり、個々人は知らない間にそれらから影響されています。親のひとこと、テレビ

	①不必要な二分法	②性別役割	③上下関係	④機会の不均等
A 教室環境	掲示物の男女別掲示		男子が上・女子が下の掲示	
B 学級生活	男女別名簿／男女別整列	係・委員会などの役割分担	男子の意見がとおる教室	発言の機会
C 学校施設・慣行	入学式・卒業式等の座席の二分／出席・成績・保健等の男女別統計	行事での役割分担	生徒会の役員（長は男子、副は女子）／表彰代表は男子	入学者の男女別合格枠
D 教師と生徒の関係	さん・くんの呼称／男子は・女子は、と一括りにした言い方	役割の男女別人数の指示／教科担当についての決めつけ	副や補助の女子への割り当て	男子と関わる時間が長い
E 生徒間の関係	休み時間は男女に分かれる	実験の操作は男子、記録は女子	実験・司会などの役割担当	校庭・運動場の占有率
F 教師間の関係	男女別職員名簿	校務分掌・教科担当の男女による偏り	女性は主任や部長にしない	管理職への登用
G 保護者・地域との関係	学用品の男女色分け購入	日頃のしつけ・挨拶・不登校は母親の責任とみなす	父親名の保護者名欄	就職時の男女で異なる採用数

表2-4　学校のなかのジェンダー：隠れたカリキュラムの事例
出典：注31の文献、37ページ。

のCM、アニメ……。あらゆるところで、ジェンダーに関するイメージが繰り返し表現され、心に染《し》みついてしまっているのです。

タテマエとしては男女平等を掲げている学校も、実はステレオタイプを逃れることはできていません。学校では、各教科の内容のような「表《おもて》の（顕在的《けんざいてき》な）カリキュラム」だけでなく、「隠れたカリキュラム」が作動しているということを、教育社会学は指摘してきました。表2－4は、学校生活に潜んでいる、ジェンダーに関する「隠れたカリキュラム」をまとめています。[31] ここにあるように、ため息が出るほど様々な場面で、「男が上」「女が下」、「男が主」「女が従」というメッセージが、毎日毎日若い人に注がれているのです。【➡第3章「学校」】

そして、仮に運良く学校や大学ではステレオタイプの影響を強く受けずにすんできたとしても、就職の際や働き始めたあとに結婚や出産を迎えた時には、女性だけが「仕事か家庭か」の選択を強いられがちです。両立できるように企業が用意した、女性にとって比較的負担の少ない仕事内容は、「マミートラック」と呼ばれて、補助的な業務になりがちです。子どもの手が離れてからがんばればいいと言っても、子育て中のブランクがその後のキャリアを停滞させる傾向があることも、検証されています。

ジェンダー・ステレオタイプは、女性を「公的」な場面から排除することに加えて、男性には「公的」な場面で活躍せよ、という圧力として表れます。近年、「男性学」が盛んになってきていますが、その中でしばしば指摘されるのは、先にも触れた「男はつらいよ」ということです。

つまり、男性も「男らしさ」の圧力の中で鬱屈《うっくつ》しており、特に「公的」な地位、つまり仕事や収入などが思わしくない男性はいっそう、いわゆる「弱者男性」としてつらい状況に置かれていると言われます。ある場所でジェンダーについて私が話したときに、若い男性からのコメントに、「「男性も男らしさから降りていい」と言われることがあります。それはまったく正しいと思うのですが、実際にはデートでおごらない、女性をエスコートしない、体の小さい、収入の低い「男らしくない」男性は女性にモテません。「男らしさから降りる」とは結局のところ、恋愛や結婚といった本能的な欲求を捨てるという残酷な話なのではないでしょうか」と書かれていました。このコメントが意味しているのは、女性の側も男性に対していわゆる「男らしさ」を期待しがちであり、そこから外れる男性は女性から選ばれないことになりがちだということです。

そして、こうした男性のつらさは、「男らしさ」のステレオタイプや圧力からの解放を求めるという方向には向かわず、その圧力を免《まぬか》れているように見える女性たちへの攻撃という形をとる場合が珍しくありません。理念的にはジェンダー平等がうたわれることが以前よりは増えている中で、男性にとって女性は、自らがこれまで当然のように手にしていた地位を脅《おびや》かすとともに、不当に優遇されているように見え、鬱屈が大きくなっていると思われます。

女性に浴びせかけられるハラスメント

男性が女性に対して抱く軽蔑や憎悪のことを「ミソジニー」と言います（逆に、女性が男性に対して抱く軽蔑や憎悪は「ミサンドリー」と言われます）。それが具体的な形をとって表れたものが、ハラスメントや暴力（性犯罪を含む）です。もちろんハラスメントや暴力は、男性が女性に対して行うものだけでなく、女性が男性に、あるいは同性同士で行われることもあります。しかし、たとえばジェンダーと深く関わるセクシャル・ハラスメント（以下「セクハラ」。強制わいせつ、つきまとい、性的なからかいなど）については、男性が女性に対して行うものが多くを占めているのが実情です。家族の中での夫から妻へのドメスティック・バイオレンスについては「家族」の章（【⬇第1章】）で触れましたので、ここでは家庭以外の場での状況を確認しましょう。

日本労働組合総連合会（連合）が2019年に実施した、仕事をしている男女への調査によれば、セクハラの経験率は男性が14%であるのに対し、女性は38%におよんでいます。[32] そして、労働政策研究・研修機構が2016年に働く女性を対象として実施した調査では、セクハラの経験率は約3割で、そのセクハラをしてきた相手は7割までが男性（他は女性と「不明」が約15％ずつ）です。[33]

また、文部科学省が学校でのわいせつ行為等による懲戒《ちようかい》処分等の状況を調査した結果によれば、平成30年度に事件を起こして処分された教職員282人のうち、約98％にあたる276人までが男性の教職員です。[34]

内閣府が地方議員を対象として実施した調査でも、議員活動や選挙活動を行う間に何らかのハラスメントを受けた比率は、女性議員57・6％、男性議員32・5％と女性のほうが多く、特に「性的、もしくは暴力的な言葉による嫌がらせ」の経験率は、女性議員は26・8％に対し男性議員は8・1％、「性別に基づく侮辱的な態度や発言」の経験率は女性議員は23・9％で男性議員は0・7％と、大きなジェンダー差があります。[35] 議員という「公的」な場に出ようとする女性に対して、集中的に嫌がらせやハラスメントが行われていることがわかります。

日本における女性へのハラスメントは、国際的に見て多いのでしょうか？ 図2－7は、ＩＳＳＰ（International Social Survey Programme）2015年の調査データを使っ

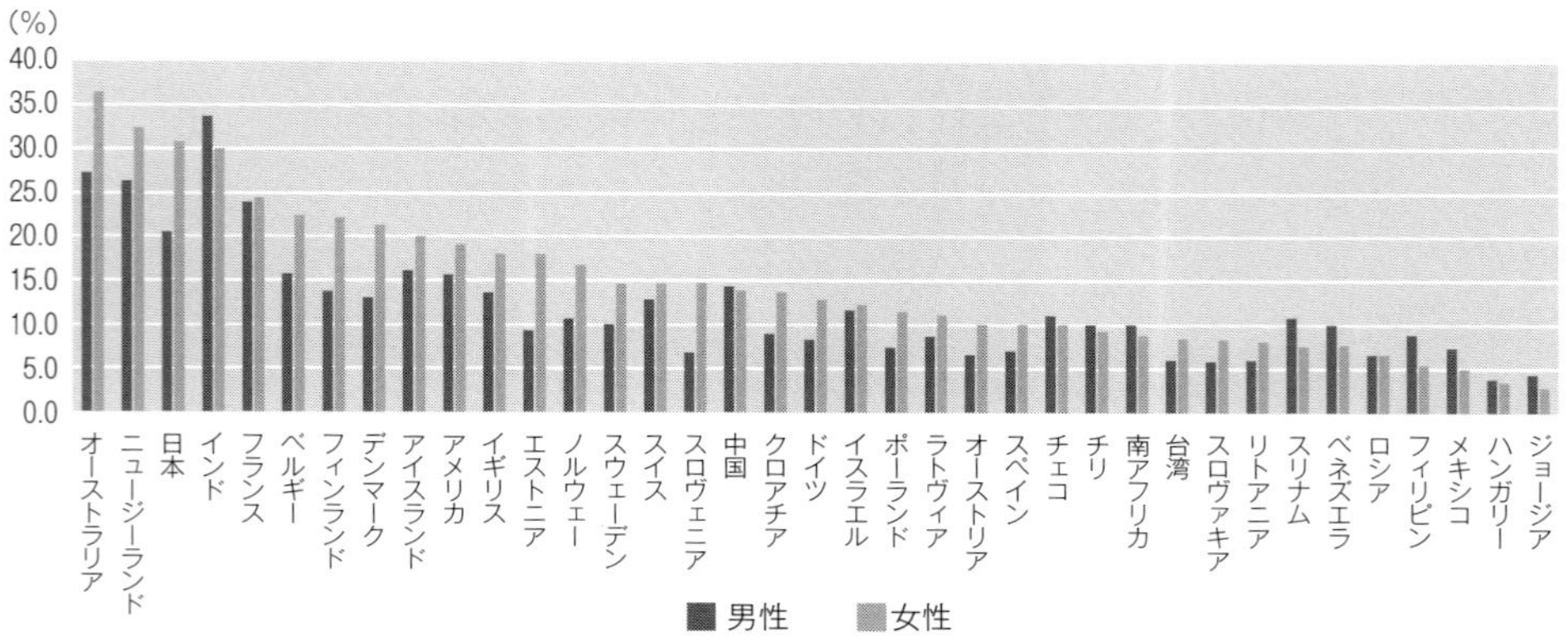

図2-7　国別・性別　職場における過去5年間のハラスメント経験率

データ出所：ISSP2015データを用いて筆者作成。

て、「過去5年の間に職場でハラスメントを経験した比率」を、国別・性別に示していますが、日本の女性のハラスメント経験率は30・7%で第3位と相当に高く、また男性と女性との間の経験率の差が10・2%と、調査国・地域の中で最大です。

古臭く、問題解決に消極的な政治家たち

このように、日本の女性は、家庭の外の「公的」な場では低い地位に押し込められるだけでなく嫌がらせも多く受け、家庭の中ではケアの役割を一手に押しつけられるという状態にあります。その原因としてステレオタイプがあることは先に述べた通りですが、もう一つ指摘しておきたいのは、このような日本のひどい状況を生み出し続けている源泉とも言うべきものが、日本政府、より具体的には政権与党である自由民主党の政治家たちの中にあるということです。

表2-5は、近年の自民党の議員らによる、女性やセクシャルマイノリティを対象とした問題発言のリストです。これらは批判を招いて報道された発言を集めたものですが、これら以外にもまだまだ数多くあると思われます。表2-5の一番下の欄にある、東京

オリンピック・パラリンピック組織委員会会長だった森喜朗《もりよしろう》の発言は、2021年にオリンピック憲章にも抵触しているということで大問題になり、森は会長を辞任するにいたりましたから、みなさんも記憶に新しいでしょう。

保守的な家族観や女性観をむしろ近年になるほど強めているように見える自民党の議員から、女性は家に居ろ、子を産め、権利を主張するな、という意味をもつ言葉が、繰り返し繰り返し発せられています。一時的に批判されて謝罪したりしても、またすぐに同じような発言が出てくるのです。

そもそも自民党は、国民の大半が導入を支持している選択的夫婦別姓でさえ、「家族を壊す」といった不合理で何も根拠のない理由により、拒否し続けています。同性婚も同様です。日本の、あきれるほどのジェンダーギャップやミソジニーは、このような古臭く、かつ女性の人格への敬意を欠いた考え方をもつ政治家たちが、議員や大臣として物事を決めていく地位についていることが、きわめて重要な原因の一つであると、強く主張しておきたいと思います。【➡第6章「政治・社会運動」】

日本の一般の人々、特に若い人の中では、性別役割分業意識が古い世代より弱くなっ

年	月日	発言者	発言時の肩書	発言内容	発言場面	問題点
2015年	3月2日	柴山昌彦	衆院議員	「同性婚を制度化したときに少子化に拍車がかかる」	テレビ番組での発言	誤解に基づく同性婚の否定
2016年	1月14日	桜田義孝	元文部科学副大臣	（慰安婦に関して）「(1950年代に）売春防止法が施行されるまでは職業としての娼婦だ。ビジネスだ。これを犠牲者のような宣伝工作に惑わされ過ぎている」	自民党合同会議での発言	慰安婦に関する歴史的事実の否定と侮蔑
2016年	3月31日	山田宏	元衆院議員	（待機児解消を求める声について）「行政の責任がどうのこうのという前に、産んだあなたの責任はどうなのかと言いたい」	自民党東京都連の支部長・常任総務合同会議での発言	出産の自己責任化
2016年	4月12日	赤枝恒雄	衆院議員	「高校や大学は自分の責任で行くものだ」「とりあえず中学を卒業した子どもたちは仕方なく親が行けってんで通信（課程）に行き、やっぱりだめで女の子はキャバクラ行ったりとか」	貧困対策の議員連盟の会合での発言	困窮者（特に女性）の進学に対する侮蔑
2017年	11月21日	山東昭子	元参議院副議長	「子供を4人以上産んだ女性を厚生労働省で表彰することを検討してはどうか」	党役員連絡会での発言	出産への圧力
2017年	11月23日	竹下亘	総務会長	「（国賓の）パートナーが同性であった場合、私は（晩餐会への出席は）反対だ。日本国の伝統には合わないと思う」	講演での発言	同性婚への差別
2018年	1月24日	杉田水脈	衆院議員	「待機児童、待機児童っていうけど世の中に『待機児童』なんて一人もいない。子どもはみんなお母さんといたいもの。保育所なんか待ってない。待機してるのは預けたい親でしょ」	自身のTwitterアカウントでの発言	保育ニーズをもつ母親への侮蔑
2018年	4月12日・17日	麻生太郎	副総理兼財務大臣	（財務事務次官のセクハラについて）「こちら側も言われている人の立場も考えないと。福田の人権はなしってわけですか」「そんな発言されて嫌なら、その場から去って帰ればいいだろ。財務省担当はみんな男にすればいい。触ってないならいいじゃないか」など	パーティ終了後および記者会見での発言	セクハラ加害者の擁護

表2-5　女性やセクシャルマイノリティに関する自由民主党政治家の問題発言（次のページにつづく）

出所：報道等に基づき筆者作成。

2018年	4月20日	長尾敬	衆院議員	（野党女性議員の写真について）「セクハラはあってはなりません。こちらの方々は、少なくとも私にとって、セクハラとは縁遠い方々です。私は皆さんに、絶対セクハラは致しませんことを、宣言致します！」	自身のTwitterアカウントでの発言	女性の外見に関する侮蔑、セクハラの擁護
2018年	4月22日	下村博文	元文部科学大臣	（財務事務次官のセクハラを被害者がマスメディアを通じて告発したことについて）「確かに福田事務次官がとんでもない発言をしているかもしれないけど、そんなの隠しとっておいて、テレビ局の人が週刊誌に売ること自体がはめられていますよ。ある意味犯罪だと思う」	講演会での発言	セクハラ被害の告発への非難
2018年	4月24日	麻生太郎	副総理兼財務大臣	（財務事務次官のセクハラについて）「はめられて訴えられているんじゃないかとか、世の中にご意見ある」	記者会見での発言	セクハラ被害の告発への非難
2018年	5月10日	加藤寛治	衆院議員	（結婚披露宴に出席した際の呼び掛けとして）「必ず3人以上の子どもを産み育てていただきたい」（披露宴で若い女性に対し）「結婚しなければ子どもが生まれないから、ひとさまの子どもの税金で（運営される）老人ホームに行くことになる」	派閥の会合での発言	出産への圧力、子どもがいない人への差別
2018年	5月27日	萩生田光一	衆院議員	「0～3歳児の赤ちゃんに『パパとママ、どっちが好きか』と聞けば、どう考えたって『ママがいい』に決まっている。お母さんたちに負担がいくことを前提とした社会制度で底上げをしていかないと、『男女平等参画社会だ』『男も育児だ』とか言っても、子どもにとっては迷惑な話かもしれない」	自民党宮崎県連の会合での講演における発言	女性への子育ての圧力
2018年	6月26日	二階俊博	幹事長	「この頃はね、『子どもを産まない方が幸せに送れるんじゃないか』と勝手なことを自分で考えてね」	講演での発言	出産への圧力、子どもを産まない選択への差別
2018年	7月	杉田水脈	衆院議員	「LGBTのカップルのために税金を使うことに賛同が得られるものでしょうか。彼ら彼女らは子供を作らない、つまり『生産性』がないのです」	『新潮45』8月号への寄稿	LGBTへの差別

2018年	7月29日	谷川とむ	衆院議員	「同性婚や夫婦別姓といった多様性を認めないわけではないんですけど、それを別に法律化する必要はないと思っているんですね。趣味みたいなもので」	テレビ番組での発言	同性婚への誤解に基づく差別
2019年	1月3日	平沢勝栄	衆院議員	「この人（LGBT）たちばっかりになったら国はつぶれちゃうんですよ」	集会での発言	誤解に基づくLGBTへの差別
2019年	2月21日	伊吹文明	元衆院議長	（準強制性交で離党した議員についての陳謝を受けて）「いろんなことあるけれど、問題にならないようにやらなきゃためだ。やるにしても」	派閥の会合での発言	性犯罪の肯定
2020年	9月25日	杉田水脈	衆院議員	「女性はいくらでも嘘をつけますから」	内閣第1部会・第2部会合同会議での発言	女性への侮蔑
2021年	2月3日	森喜朗	東京オリンピック・パラリンピック組織委員会会長	「女性理事を4割というのは文科省がうるさくいうんですね。だけど女性がたくさん入っている理事会は時間がかかります。これもうちの恥をいいますが、ラグビー協会は今までの倍時間がかかる。」「女性っていうのは優れているところですが競争意識が強い。誰か1人が手を挙げると、自分も言わなきゃいけないと思うんでしょうね、それでみんな発言されるんです。結局女性っていうのはそういう、あまりいうと新聞に悪口かかれる、俺がまた悪口言ったとなるけど、女性を必ずしも増やしていく場合は、発言の時間をある程度規制をしておかないとなかなか終わらないから困ると言っていて、誰が言ったかは言いませんけど、そんなこともあります」	東京オリンピック・パラリンピック組織委員会理事会での発言	女性への侮蔑

ていたり、セクシャルマイノリティを受け入れる意識が強くなっていたりする傾向があります。[36]そういう新しい変化と対極的な性質をもっているのが自民党であり、その間のズレは大きくなっているのです。ですから、「古い日本」が凝縮されているかのような自民党が政権党として君臨し続けているという事態からまず変えていかないことには、ジェンダーに関する日本の病巣は、これからも腐臭を放ち続けるに違いありません。

なぜジェンダー平等が大事なのか

本章では、ジェンダーに関する日本の問題を様々に指摘してきました。書きながら自分でもうんざりするような状況が日本にはあります。歴史をさかのぼれば、古くは戦前までの「家制度」が、男性を「家長」として尊重し、女性を従属させる構造をもっていました。敗戦後になるまで女性が選挙権を手に入れられていなかったことを思い出しましょう。さらに、1960年代以降の高度経済成長期に広がった、男性が長時間会社で働いて、女性は家を守るという分業構造も、ジェンダー間の不平等を強化するように作用しました。1980年代以降は「男女雇用機会均等法」や「男女共同参画」といった政策も一応は実施されてきましたが、社会に根付いてしまっているジェンダーギャップを是正するにはいたっていません。

もういい加減、このようなジェンダー間の不平等から、男性も女性も解放されてよい時期が、とっくに来ています。他の先進諸国でも、日本ほどではないとはいえ、まだジェンダーの不平等は残っていますが、日本との違いは、「不平等なままじゃだめだよね」という考え方が、日本よりもずっと強く、多くの人々に共有されているということです。たまたま男性に生まれたり女性に生まれたりしただけで、ステレオタイプや統計的差別によって生き方の選択肢が狭められてしまうのは、個人（「ミクロ」）にとっても不合理なことですし、社会全体（「マクロ」）にとっても、仕組みの公正さを損ない、実現できていたかもしれない様々な可能性を捨てる結果になっています。人口の半分を占め、それぞれに意見や考えや感じ方をもっている女性が、「公的」な場には少なすぎることにより、政治や経済に関する物事を決めていく際に、意見が反映されにくくなっているのです。「数」の歪みが、「中身」や「仕組み」の歪みを生み出しているからには、「数」の分布の是正に、どうしても取り組まざるをえません。

何より重要なことは、男性であっても女性であってもセクシャルマイノリティであっても、誰もが対等な人間であり、誰もが他者から敬意を払われ、自分の望みを表明したり行動に表したりできるような社会にしてゆくということです。体のつくりが自分とは少し異なるだけの相手を、侮蔑《ぶべつ》したり依存したり憎悪したりすることが、いかに愚かなことか。

そのためには、男性／女性という区分を、ぐらつかせていくことが必要と思います。個々の男性は、100％男性としてできあがっているのではなく、これまでは女性のものとされてきたような特性を、思考や感情の中に実はかなり含み持っていると私は考えます。同じことは女性にも言えるでしょう。何対何の割合か、なんて考える必要はありません。それは個人によって様々でしょうし、何かの「らしさ」にはまらなくとも、あなたはあなたであるだけで十分なのです。そして、これまでは「らしさ」の線引きで隔てられてきた他者との間にも、共通の部分や、わかりあえる部分はたくさんあるはずです。たとえば、ユーモアがある、他者を傷つけない、自分の言葉で話せる、といった、ジェンダーに関係ない性質のほうが、よほど重要ではないでしょうか。古臭い意地の張り合いや出来合いの「らしさ」に捉われているのは本当につまらないことです。あなた個人の良いところや駄目《だめ》なところ、強さや弱さをそのままに、同じような他者に対して、常に基本的な敬意を忘れずに向かい合っていただければと思います。

第3章 学校

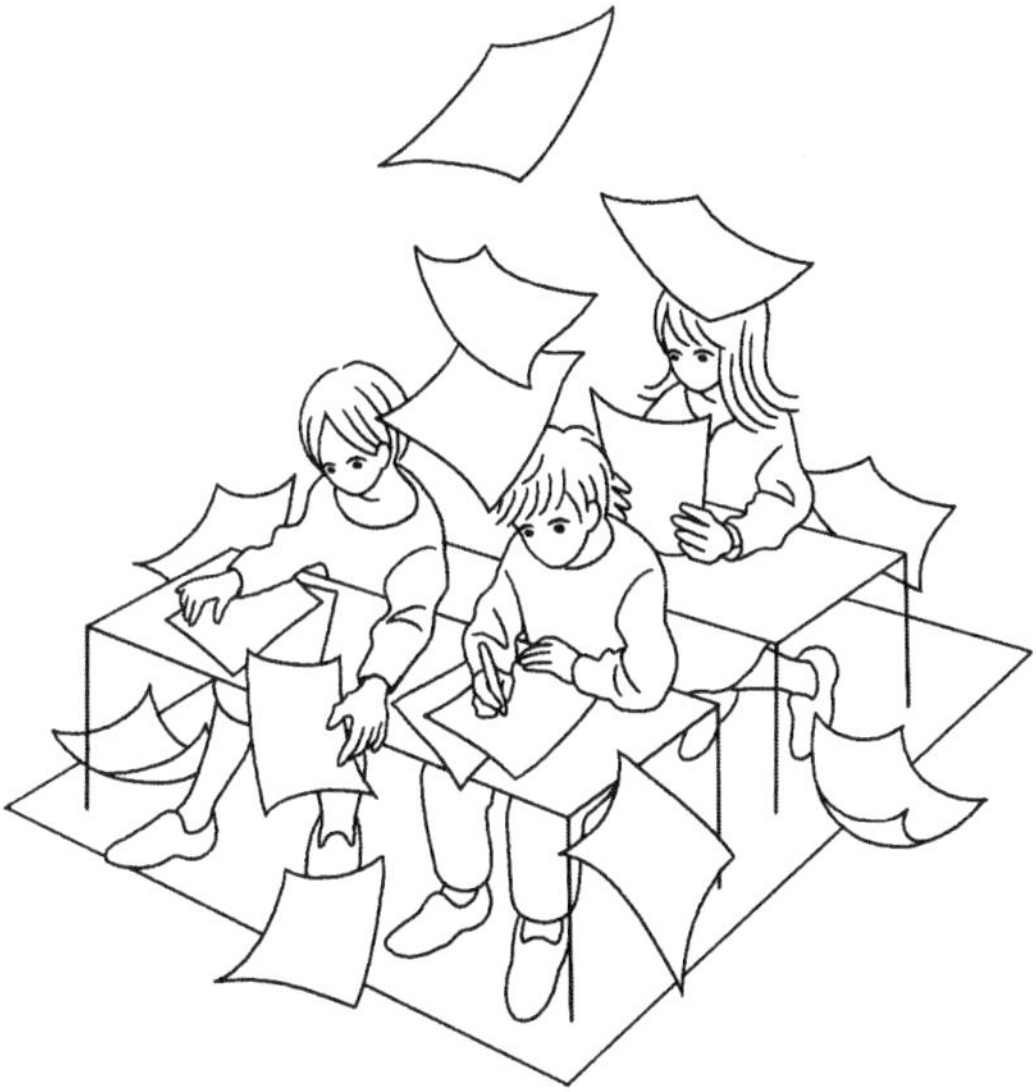

あなたが通っている学校は「あたりまえ」か

この章のテーマは「学校」です。〝ん？　「学校」？　学校なんて毎日通ってるし（あるいは、ついこないだまで通ってたし）、いやんなるほどよく知ってるから別に読まなくていいや〟って？　まあまあそう言わずに。

でも確かにそう言いたくなる気持ちもわかります。日本では、言うまでもなく小学校・中学校は義務教育です。高校は義務教育ではありませんが、2020年3月に中学校を卒業した人の中で、高校に進学した比率は98・8％に達しています。中卒者の高校進学率は1955年には約50％でしたが、その後に急増して1975年頃には90％を超え、それ以降、現在にいたるまでの約半世紀にわたって、大半の人が高校に進学するという状態が続いています。

このように、小学校から高校までの「学校」は、日本で暮らすほとんどの人たちが経験しています。しかも、文部科学省による中央集権的なコントロールが強い日本では、「学校」のあり方について様々なルールや規制が全国的に張り巡らされており、どの地域の学校でも、その基本的な風景は似通っています。もちろん、公立と私立の違いや、特定の学校では特徴のある試みがなされていたり、またあとで述べるように高校間には明確な格差があったりしますが、「学校」の中の授業や勉強とはだいたいこんな感じ、運動場や体育館はだいたいこんな感じ、といった、大まかなところは共通しています。

これらの条件は、この社会の「学校」のあり方が、多くの人々にとって「あたりまえ」のものと感じられやすくなるという帰結を伴っています。しかし、「学校」に限らず、何かを自明視することは危険です。その問題点に気づかれにくくなるからです。

無自覚な「あたりまえ」に基づいて、自身の「学校」論を偉そうに展開してくださる人は珍しくありません。そのような人は往々にして、自分自身の「学校」経験や価値観に基づいて、あれはこうだったこれはこうだった、あれがよいこれがよい、と持論を展開するでしょう。誰もが「学校」を経験しているがゆえに、誰もが「学校」についてよく知っているような気分になり、プチ評論家になれてしまうのです。でもそのような経験論や思いつきの理想論も、なんら裏づけのないあやういものです。

このように「学校」が、一方では自明視され、他方では好き勝手に論じられる性質が強い対象であるからこそ、様々なデータによって「学校」の現状をできる限り把握すること、そして特に、自国の「学校」を他の国の「学校」と比べてみることが重要になるのです。国際比較をすることによって、自国の「学校」のすぐれているところ、他の国と同じようなところ、そして驚くほどの遅れや悪いところを、それぞれ把握することができるようになります。

ところで、2020年に世界に広がった新型コロナウイルス感染症は、「学校」の自明性に亀裂が入る一つのきっかけになりました。2月末に政府が突然発表した全国一斉休校は、その後の4月5日に発出された緊急事態宣言下でも続き、5月14日に39県で、21日に他の3府県で、そして25日に残りの5都道県で緊急事態宣言が解除されるまで、基本的に継続していました。あたりまえのように毎日通っていた「学校」が、この間に突如として失われたのです。再開後の学校では、分散登校などが実施された短い助走期間をはさんで、休校期間中に遅れた学習を取り戻すために、以前の「学校」の活動が猛然と進められました。しかしその後も、校内で集団感染が発生する学校は少なくなく、そのたびに授業や行事は中断されざるをえませんでした。

こうした2020年の経緯は、まるで社会実験のように、「学校」というものを再評価したり再検討したりする思考や感覚の芽を、「学校」にかかわる膨大な人々――児童生徒、保護者、教職員、様々な業者、近隣の方々など――の中に、植えつけることになったでしょう。「学校」はこれでいいのか、どうすればいいのか、と問う視線が、これまでになく大きくなっている状況であればなおさらに、この国の「学校」の実像や得失を、明確にしておくことの意味は大きいと考えます。【「学校」での「友だち」については➡第4章】

日本の「学校」はすばらしい？

日本の「学校」を、高く評価する意見は珍しくありません。たとえば、半世紀ほど時間をさかのぼって、1971年に日本の教育の状況を包括的に検討したOECD教育調査団の専門家たちは、その報告書で次のように述べています。[37]

とりわけ初・中等教育についていえば、日本の人々に役立つようなことをこちらから指摘したり、示唆するよりも、むしろわれわれ自身の方が学ぶべき立場におか

れているのではないかというのが、調査団の一般的な意見であった。（OECD教育調査団報告書『日本の教育政策』7ページ）

日本の初・中等段階の教育が技術的にすぐれていることは、だれしも認めるところであろう。初・中等段階の数学教育で日本が最先端にいることは世界的に知られているが、それは日本の到達した高い水準を示す、証拠の一つにすぎない。（同45ページ）

より近年では、OECDが2000年から3年ごとに実施している「生徒の学習到達度調査」（Programme for International Student Assessment, PISA）において、日本の15歳（高校1年生）の生徒たちは、数学的リテラシー・科学的リテラシー・読解力のテストに関し、実施年によってやや変動はありますが、総じて参加国の中で高い水準の成績を示しています（図3－1）。

2021年に刊行された『日本の教育はダメじゃない』というタイトルの本でも、こ

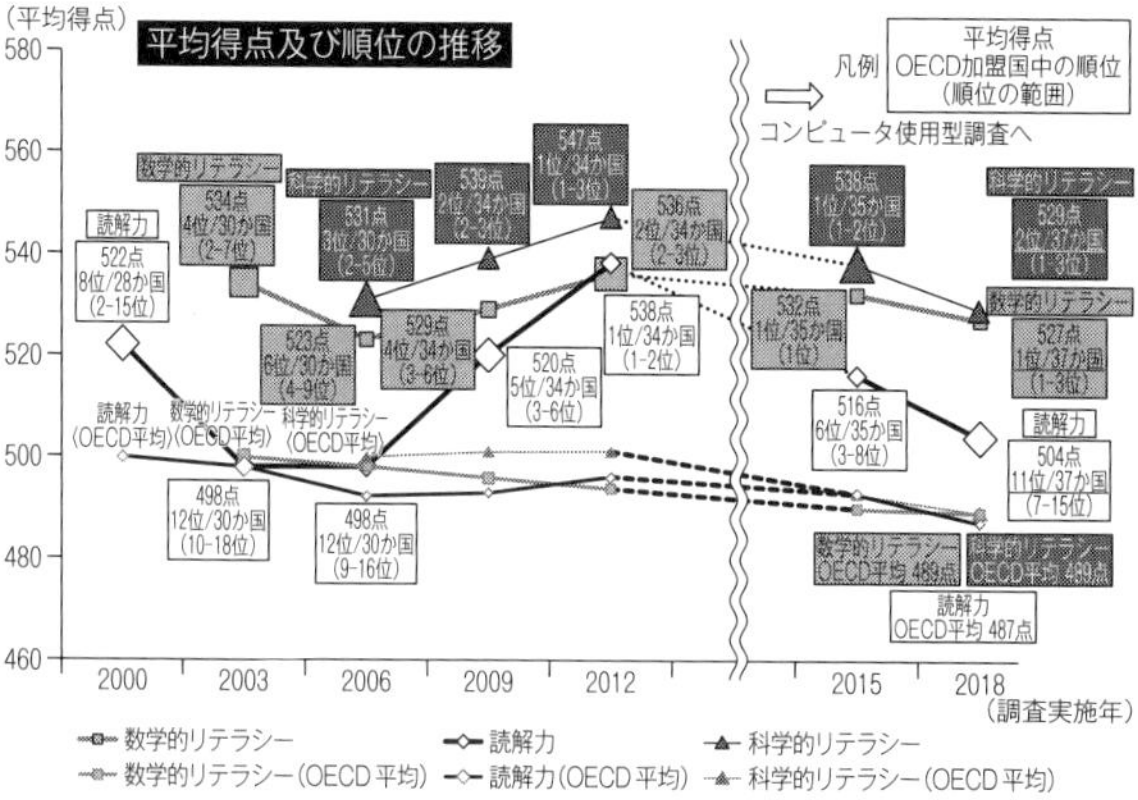

※各リテラシーが初めて中心分野（重点的に調査する分野）となった回（読解力は2000年、数学的リテラシーは2003年、科学的リテラシーは2005年）のOECD平均500点を基準値として、得点を換算。数学的リテラシー、科学的リテラシーは経年比較可能な調査回以降の結果を掲載。中心分野の年はマークを大きくしている。

※2015年調査はコンピュータ使用型調査への移行に伴い、尺度化・得点化の方法の変更等があったため、2012年と2015年の間には波線を表示している。

※順位の範囲とは、統計的に考えられる平均得点の上位及び下位の順位を示したもの。

図3-1　PISA平均点および順位の推移

出典：文部科学省・国立教育政策研究所（2019）「OECD生徒の学習到達度調査2018年調査（PISA2018）のポイント」

のＰＩＳＡや、他のＴＩＭＳＳ（国際数学・理科教育動向調査）、ＰＩＡＡＣ（国際成人力調査）などの国際比較テストに表れる「高い学力」が、日本の教育がすぐれていることの最大の証拠として用いられています。[38]

「学力は高い。しかし……」

このような日本の国際テストでの成績の高さについてはよく知られていることなので、それは事実として話を進めましょう。「高い学力」にそう喜んでばかりいられるのでしょうか？　日本の「学校」については、「学力は高い。しかし……」という流れで論じられることが少なくありません。たとえば、日本の教育政策の方向性を議論している中央教育審議会の、近年のある答申の中では、次のように書かれています（傍線は私が引いたものです）。

学力に関する調査においては、判断の根拠や理由を明確に示しながら自分の考えを述べたり、実験結果を分析して解釈・考察し説明したりすることなどについて課題が指摘されている。また、学ぶことの楽しさや意義が実感できているかどうか、自分の判断や行動がよりよい社会づくりにつながるという意識を持てているかどうかという点では、肯定的な回答が国際的に見て相対的に低いことなども指摘されている。[39]

この引用の前半部分は、「学力」に含まれる様々な要素（各教科の知識や計算などの速さ、正確さなど）の中でも、もっとも深く中核的ともみなされる、論理的な思考と説明について問題があること、また後半部分では、「学ぶことの意味」について肯定的かつ前向きに感じられていないことを述べています。

実際に、こうした傾向は繰り返し指摘されています。たとえば2015年のPISAでは、参加国・地域の中で、「科学の楽しさ」指標（「科学の話題について学んでいるときは、たいてい楽しい」、「科学についての本を読むのが好きだ」など5つの質問項目への回答結果をスコアにしたもの）は最下位から4番目、「科学に関連する活動」指標（科学に関連するテレビ番組、本、インターネット、雑誌などを見るかをスコアにしたもの）は最下位でした。[40]

それだけではありません。図3－2は、同じデータから、横軸に「試験不安」指標（「テストが難しいのではないかとよく心配になる」「学校で悪い成績をとるのではないかと心配になる」など5つの質問項目から作成）、縦軸に「学習への動機づけ」指標（「全教科、あるいは多くの教科でトップの成績をとりたい」「クラスの中でもっとも優秀な生徒の一人でありたい」など5つの質問項目から作成）をとり、調査に参加した国・地域の位置を散布図に描いたものです。

縦横2つの指標は参加国・地域の平均値が0になるように作成されており、それぞれが高いか低いかで図は4つに区切られています。日本は図中の右下にあり、「試験不安」は高いが「学習への動機づけ」は非常に低い国の一つです。図中の各国・地域は、総じて左下から右上に向かって分布しており、「試験不安」が強い国ほど「学習への動機づけ」も高くなる傾向が大まかには見いだされるのですが、日本はそうした傾向からぴょーんと離れています。さーて、これをどう考えればいいでしょうか？

先に触れた『日本の教育はダメじゃない』という本は、学習には強制力が必要なので、

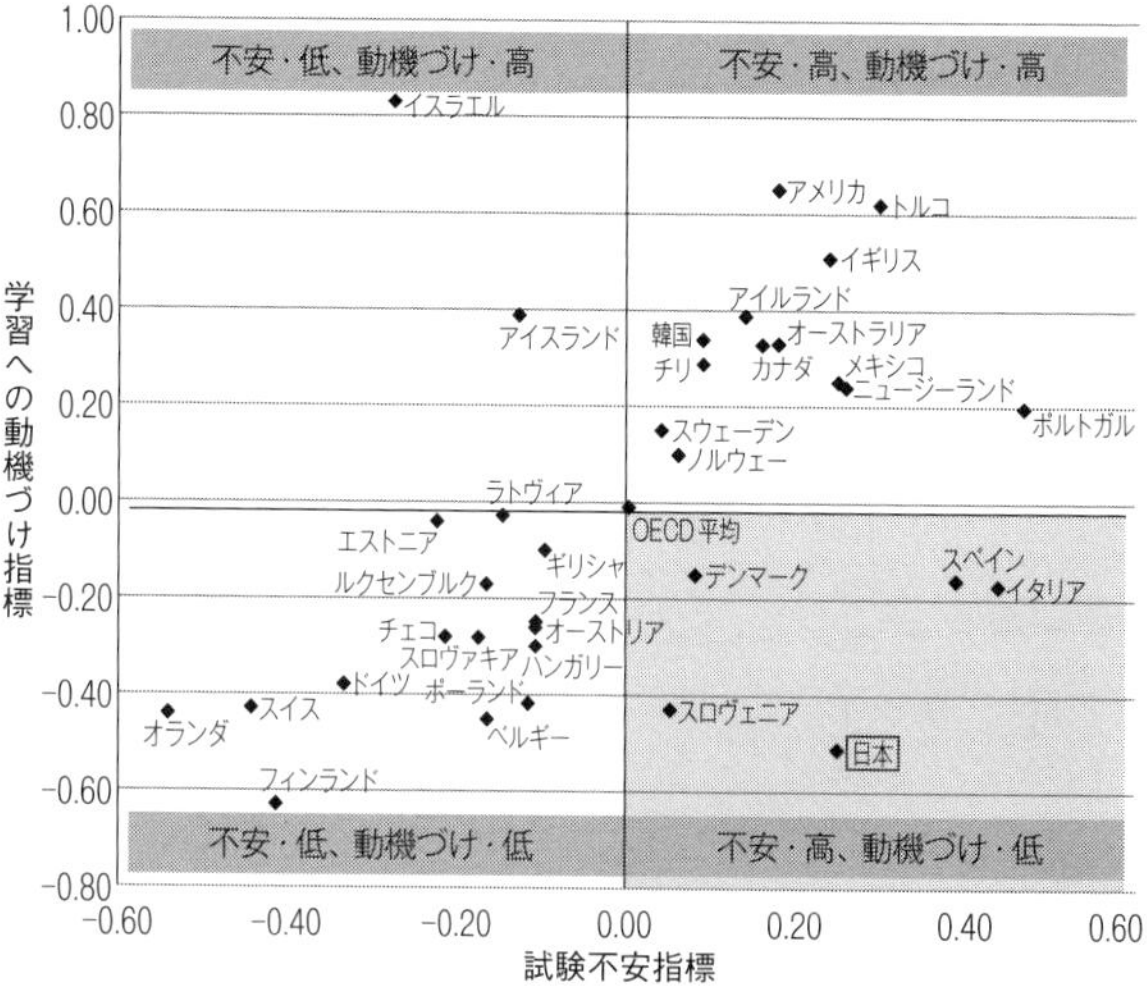

図 3-2　「試験不安」と「学習への動機づけ」に関する各国・地域の位置づけ

出典：OECD (2018), Reviews of National Policies for Education, Education Policy in Japan: Building Bridges towards 2030, Figure1.15.

子どもたちが勉強に興味を持てなくても大きな問題ではない（106～110ページ）、そして日本の「高い学力」は大きな犠牲を伴っていない（138～139ページ）と主張しています。

しかし、本当にそのように楽観していてよいのでしょうか。日本以外にも「学力」が高い国はいくつもありますが（シンガポール、香港、カナダなど）、学ぶことの楽しさや活動、動機づけなどは日本ほど低くありません。また、技術変化が早い現代においては、人生の早い時期の「学校」での学習だけでなく、大人になってからも「学び直し」がどうしても必要になってきますが、日本のように、学ぶことへの「嫌気《いやけ》」が「学校」で植えつけられてしまうことは、「学び直し」をも阻害するという点でも大きな問題があります。[41]

ではなぜ、日本では「学力は高い。しかし……」と言わざるをえないような状況が生じているのでしょうか？　その要因として、まずは、授業での教え方の様子を検討してみましょう。

日本の「学校」での授業の特徴

「学校」の授業の様子をビデオに撮影し、その内容や方法を複数の専門家が評価してスコア化するという、興味深い方法を使った国際比較調査（OECDグローバル・ティーチング・インサイト：GTI）があります。このGTIには8カ国・地域が参加しており、日本でも3つの市の89人の教員の授業が調査対象になりました。対象の学年は日本の中学2年に相当する学年、授業内容は「二次方程式」ということで全参加国・地域間で統

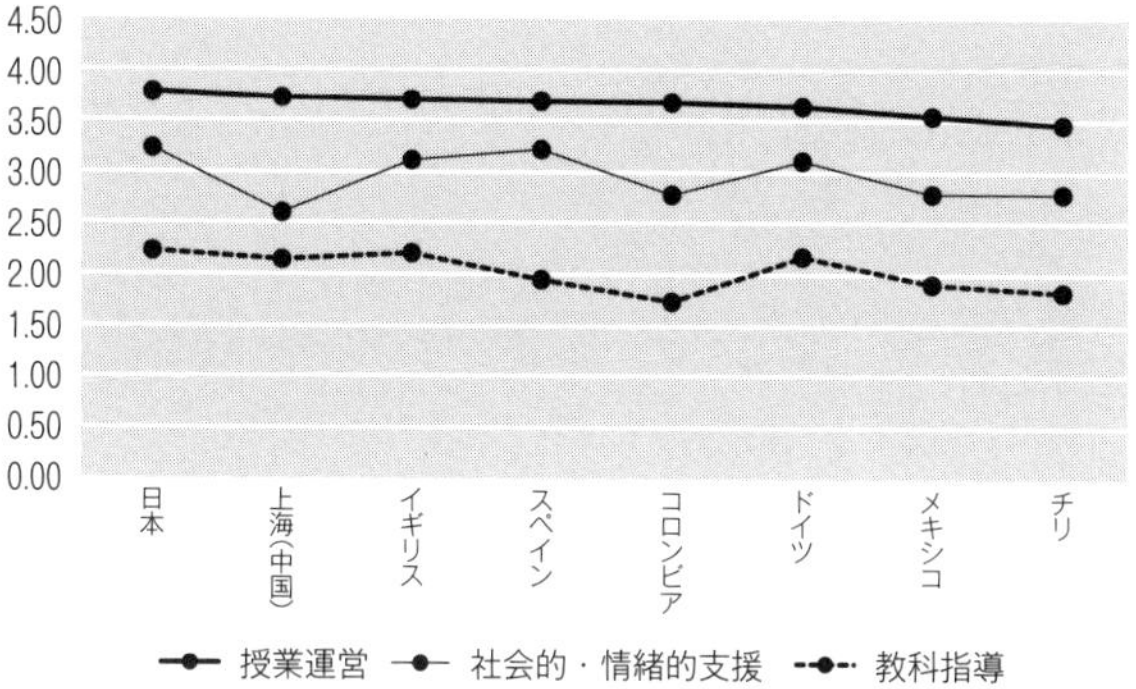

図 3-3　GTI における授業評価結果

データ出所：国立教育政策研究所編（2021）『指導と学習の国際比較』明石書店のデータに基づき筆者作成。

一されています。[42]

この調査研究では、多数の評価項目が用いられて授業が細かく分析されていますが、その総合的な評価結果（スコア）を、「授業運営」（授業が効率よく秩序立てて運営されているかどうか）、「社会的・情緒的支援」（教師と生徒の間に敬意があるか、励ましや粘り強い指導がなされているかどうか）、「教科指導」（高度な思考の引き出しや対話などがなされているか）という3つの側面について、示したものが図3-3です。参加国・地域間の違いはそれほど明確ではありませんが、この結果を見る限り、日本は、かなり良好な授業のやり方をしているように見えます。

ではもう一つ別のデータを見てみましょう。

図3－4は、2018年のPISA調査において、国語の授業について調査対象者の15歳（日本の高校1年生）がどう感じているかを質問紙調査でたずねた結果を、3つの指標にまとめて表したものです。中ほどの小さい三角形が参加国平均、太線で描かれているのが日本です。この図からは、参加国平均と比べて、日本がとてもいびつな形をしていることがわかります。

上側の「国語の授業の雰囲気」指標は、調査国平均よりも日本が著しく上回っています。日本の授業では生徒はおとなしくしており、荒れたりはしていないことがわかります。また、右下の「国語の授業における教師の支援」指標については、日本は参加国平均を少し上回る程度です。授業において生徒の理解が進むよう教員が支援しているかどうかについて、日本は世界の中で「ふつう」のレベルです。それに対して、左下の「国語教師のフィードバックに関する生徒の認識」指標では、参加国平均よりも日本はきわめてスコアが低くなっています。

注意を払うべきは、図を見ていただければわかりますが、先の2つの指標では「授業」「生徒」という言葉が使われていたのに対して、この指標の質問項目には、「授業」

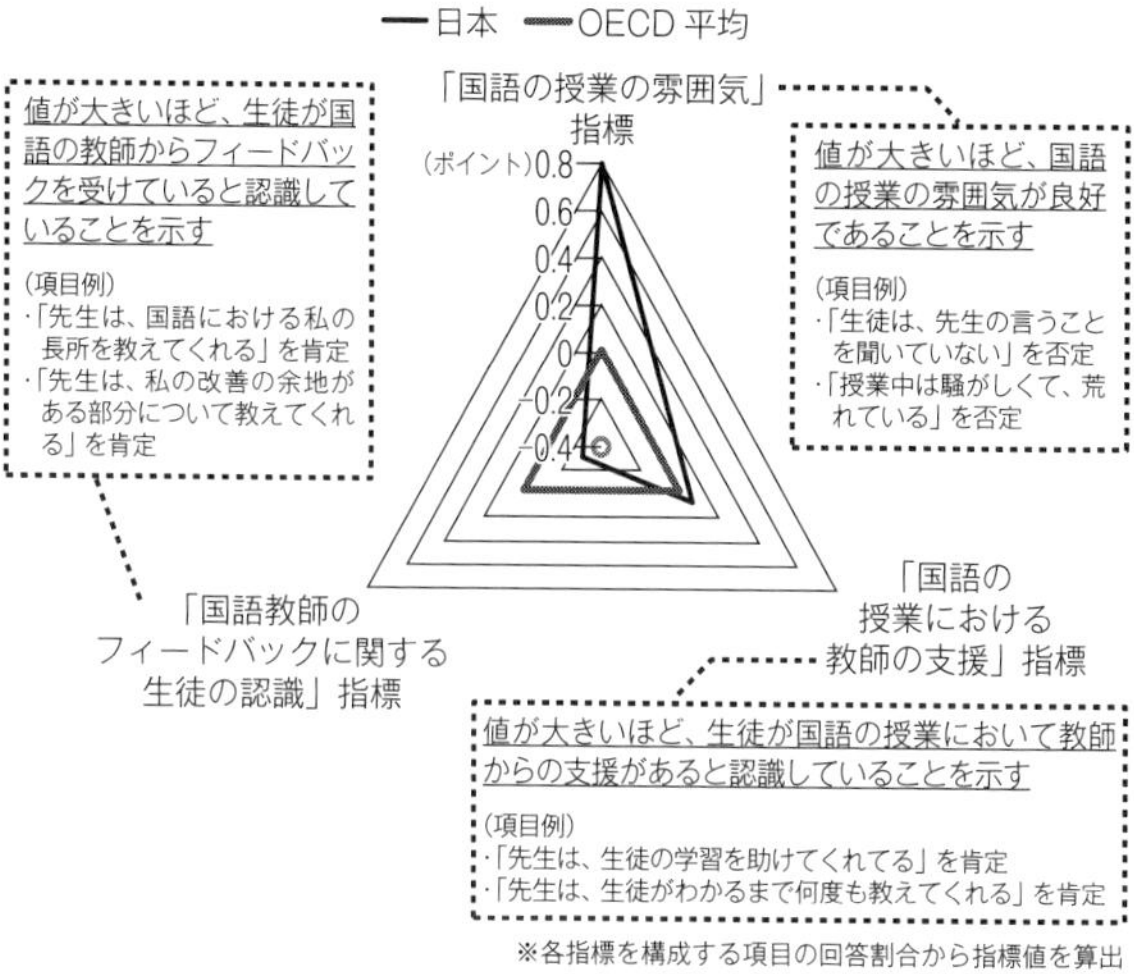

(ポイント)0.8

・「生徒は、先生の言うことを聞いていない」を否定
・「授業中は騒がしくて、荒れている」を否定

値が大きいほど、生徒が国語の授業において教師からの支援があると認識していることを示す

・「先生は、生徒の学習を助けてくれてる」を肯定
・「先生は、生徒がわかるまで何度も教えてくれる」を肯定

値が大きいほど、生徒が国語の教師からフィードバックを受けていると認識していることを示す
・「先生は、国語における私の長所を教えてくれる」を肯定
・「先生は、私の改善の余地がある部分について教えてくれる」を肯定
※各指標を構成する項目の回答割合から指標値を算出

図 3-4　国語の授業についての生徒の認識
出典：文部科学省・国立教育政策研究所（2019）「OECD 生徒の学習到達度調査 2018 年調査（PISA2018）のポイント」。

という言葉はなく、「生徒」の代わりに「私」という言葉が使われていることです。つまり、日本の教員が生徒に対して行う授業は、うまく統率できていたり、生徒全般の理解を助けるような説明をしてくれたりもする。しかし、その教科に関するこの「私」の長所やつまずきを教えてくれたり対処してくれたりはしない、ということです。日本の授業は、まるで劇場で教員という俳優が演じているかのようで、その演技は相当に練り上げられています。しかし、その場にいる生徒はまるで観客のように集団としてひとまとめに扱われていて、個々の生徒の学習の状況について、細かくフォローしてくれてはいないことが見えてきます。

この図3－4は生徒の目から見た授業のあり方ですから、公平を期すために、教員自身が自らの教え方をどうみなしているかも見ておきましょう。図3－5は、OECDが各国の教員に対して教育実践や雇用環境に対して国際比較調査を行ったTALIS（Teaching and Learning International Survey）の2018年の結果（以下、TALIS 2018と表記）から、「生徒が学習に価値を見出せるよう支援することができる」および「生徒が批判的思考ができるよう支援することができる」という2つの項目に対して中学校の教員が回答した結果を、「全然できない」＝1点、「少しはできる」＝2点、「かなりできる」＝3点、「よくできる」＝4点とスコアに置き換えて、46の参加国・地域の平均点を散布図に描いたものです。

日本の教員の回答結果は、他の国・地域から飛び離れて左下の位置にあります。これほどの低さには、日本の教員の謙虚な回答傾向が表れている可能性はありますが、たとえば「私は授業のはじめに目標をはっきり示している」といった項目については、日本

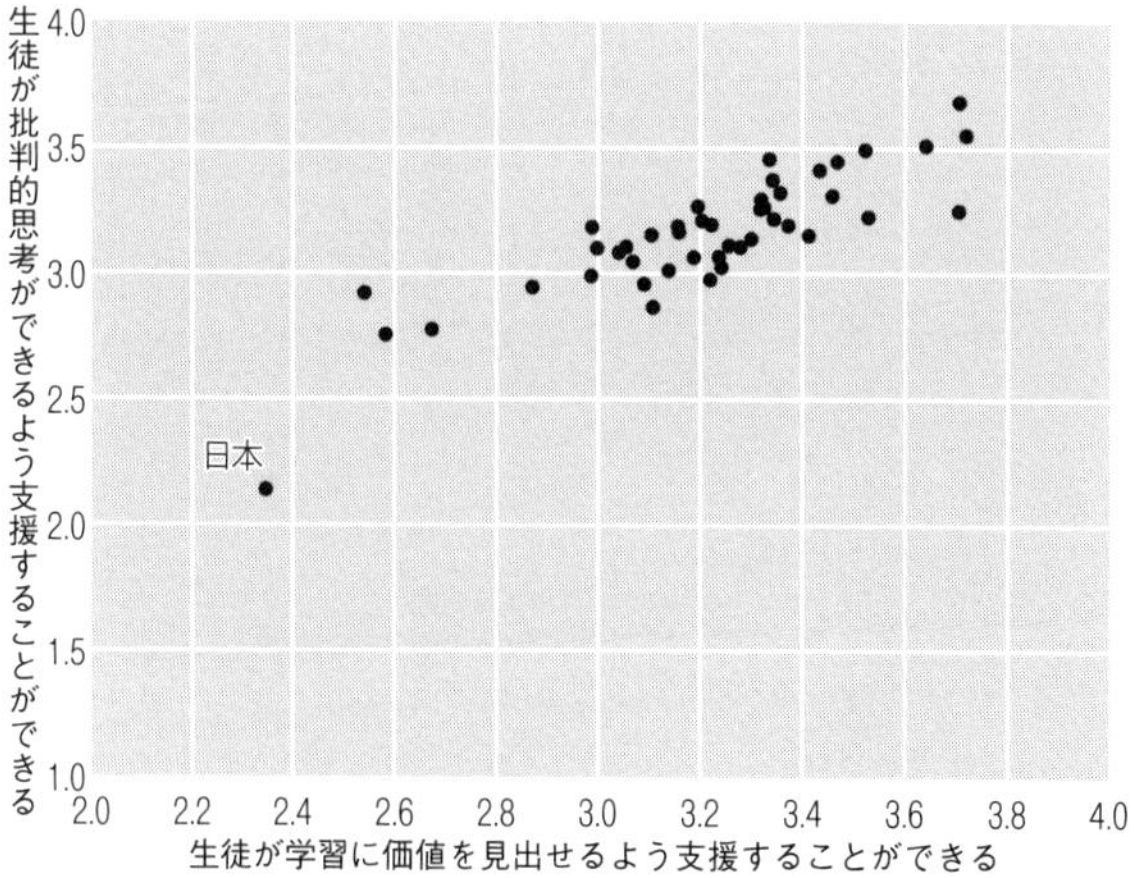

図 3-5　TALIS における 2 つの質問項目への参加国・地域の回答
データ出所：TALIS2018 より筆者作成。

の教員の回答は参加国・地域平均を上回っていますので、日本の教員が常に低い回答をするわけではありません。その点を考慮しても、日本の教員自身が、「学習の価値」や「批判的思考」を生徒に伝えることについて自信をもてていないことは明らかです。先に述べたように、実際に日本の生徒たちは学習に意義を見いだせている度合いが低いことと照らし合わせれば、双方の結果は符合していると言えます。

要するに、日本の教員たちは授業をうまく行うことにはかなり長《た》けており、それによって日本の生徒は国際学力調査で高い成績を示すことができていると考えられます。しかし、日本の教員は、個々の児童生徒の学習状況を個別にフィードバックしたり、学ぶことの価値や物事を根底から考えさせたりすることについては、うまく行えていないようです。ここで、さらに疑問が浮かびます。それは一体、なぜなのでしょうか？

多人数の生徒がひしめく教室内

日本の教員の教え方の特徴の重要な背景の一つは、教室内の児童生徒数が多いことにあると考えられます。あなたの小学校・中学校・高校のクラスの人数はどれくらいでしたか？　教室の中に、40人弱くらいの児童生徒が机を接していたケースは少なくないはずです。実は、図3－6に示したように、日本は小学校でも中学校でもOECD平均と比べて1学級あたりの児童生徒数が多くなっており、特に中学校については、OECD平均が23人であるのに対して日本は32人と、調査対象国の中で最多の人数になっています。

このように日本で1学級あたりの児童生徒数が多い理由は、端的に言って、政府が少

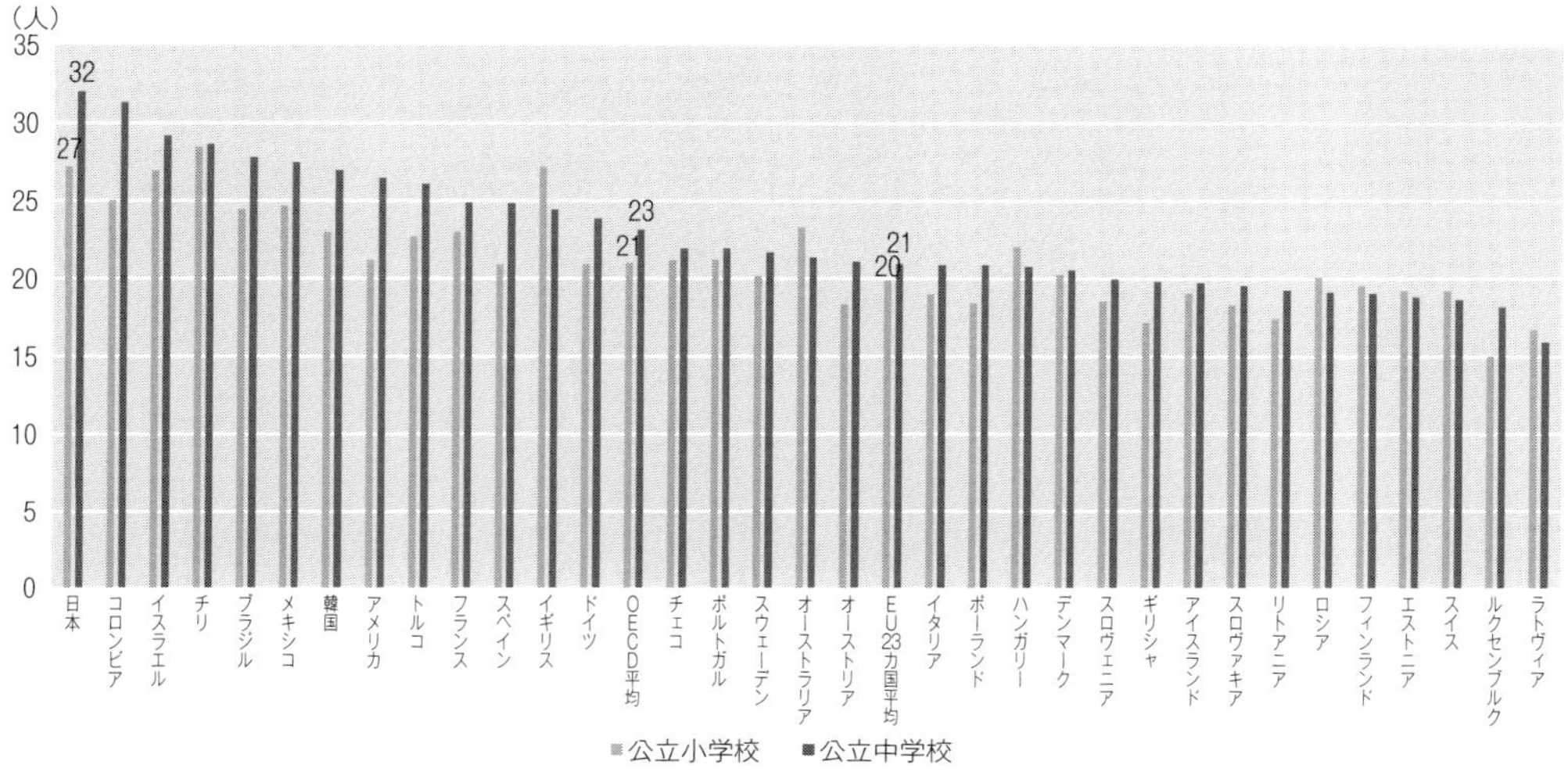

図 3-6　国別・学校段階別　1学級当たりの平均生徒数
出典：OECD（2020), Education at a Glance 2020, Table D2.3.

人数学級の推進を怠ってきたからです。第二次世界大戦敗戦後の日本の小中学校の学級規模は、１９５８年にその上限の人数を定める「義務教育標準法」が制定されたのち、１９５９〜６３年の第一次教職員定数改善計画で50人学級が、64〜68年の第二次計画で45人学級が、そして80〜91年の第五次計画で40人学級が、進められてきました。しかしそれ以降は、２０１１年に小学1年生が35人学級となっただけで、主に財務省の抵抗により、国全体の「標準」の学級定員は、長年にわたり改善されてきませんでした。２０２１年にようやく、小学校の全学年について35人学級とする法改正がなされましたが、中学校はいまだ放置されています。

その間に、世界の、特に先進諸国では、１学級あたりの人数を少なくしたほうが、児童生徒の「学力」や精神状態などに良い効果が出るという研究成果[43]に基づき、懸命に少人数学級化を進めてきました。その結果、図３-６のような差がついてしまっているのです。

学級内の児童生徒数が多ければ、教員は集団としての学級を統率し、その全体に働きかけることに努力せざるをえません。そして言うまでもなく、多数の児童生徒一人一人にきめ細かく目を配り、強みや弱みを伝えてつまずきを克服する指導を個々の児童生徒に対して行うことはできません。個々の生徒の興味関心や考えを引き出し、伸ばすような指導も難しくなります。前項で見たような日本の授業の欠点には、原因として、まず、教室内の児童生徒の人数という、きわめて目に見えやすい、しかも重要で基本的な学習環境の問題があると考えられるのです。

都道府県間の格差

また、教室内の児童生徒数（学級規模）の違いは、日本と他国との間だけでなく、日本国内の都道府県の間にも見いだされます。その理由は、特に今世紀に入ってから、都道府県の中には、独自の努力で「義務教育標準法」に定められた学級人数よりも少ない数の学級編成を実現しようと努力してきたところと、そうでないところがあるからです。

図3－7は、日本の47都道府県を、その中にある中学校の学級全体の中で30人以上の学級が占める割合が、右にいくほど多くなるように並べて示してあります。左のほうにある秋田、福井、高知などでは多人数の学級の割合は2割程度で少ないのですが、右の

ほうにある首都圏や都市部では、多人数の学級が占める割合が8割近くに達しています。
そしてこの図には、他に、「全国学力・学習状況調査」のデータから、通塾率（▲の印）、数学の正答率（折れ線）、そして「自己効力感」（自信のようなもの）のスコアの平均値（●の印）も示してあります。通塾率と「自己効力感」については、傾向を示す「回帰直線」（各都道府県の▲や●の印の高低をできるだけよく表すように計算して直線を引いたもの）も記載してあります。

先に述べたように、学級規模には都道府県間で大きな差があるのですが、折れ線で示した数学の正答率には、ややでこぼこはあっても、特に「右上がり」とか「右下がり」とかの傾向は見られません。他方で、▲印で示した通塾率は、回帰直線が「右上がり」になっています。つまり、人数の多い学級がたくさんある都道府県ほど、通塾率は総じて高くなる傾向があると言えます。多人数の学級では、教員にきめ細かく見てもらえないので、学校の外で塾に行くことによってそれを補っていると考えられるのです。塾の費用は家庭が負担していますし、また生徒全員が塾に行けるわけではないので、多人数の学級が多い都道府県で塾に行けない生徒は、学習を補うことができずに取り残されて

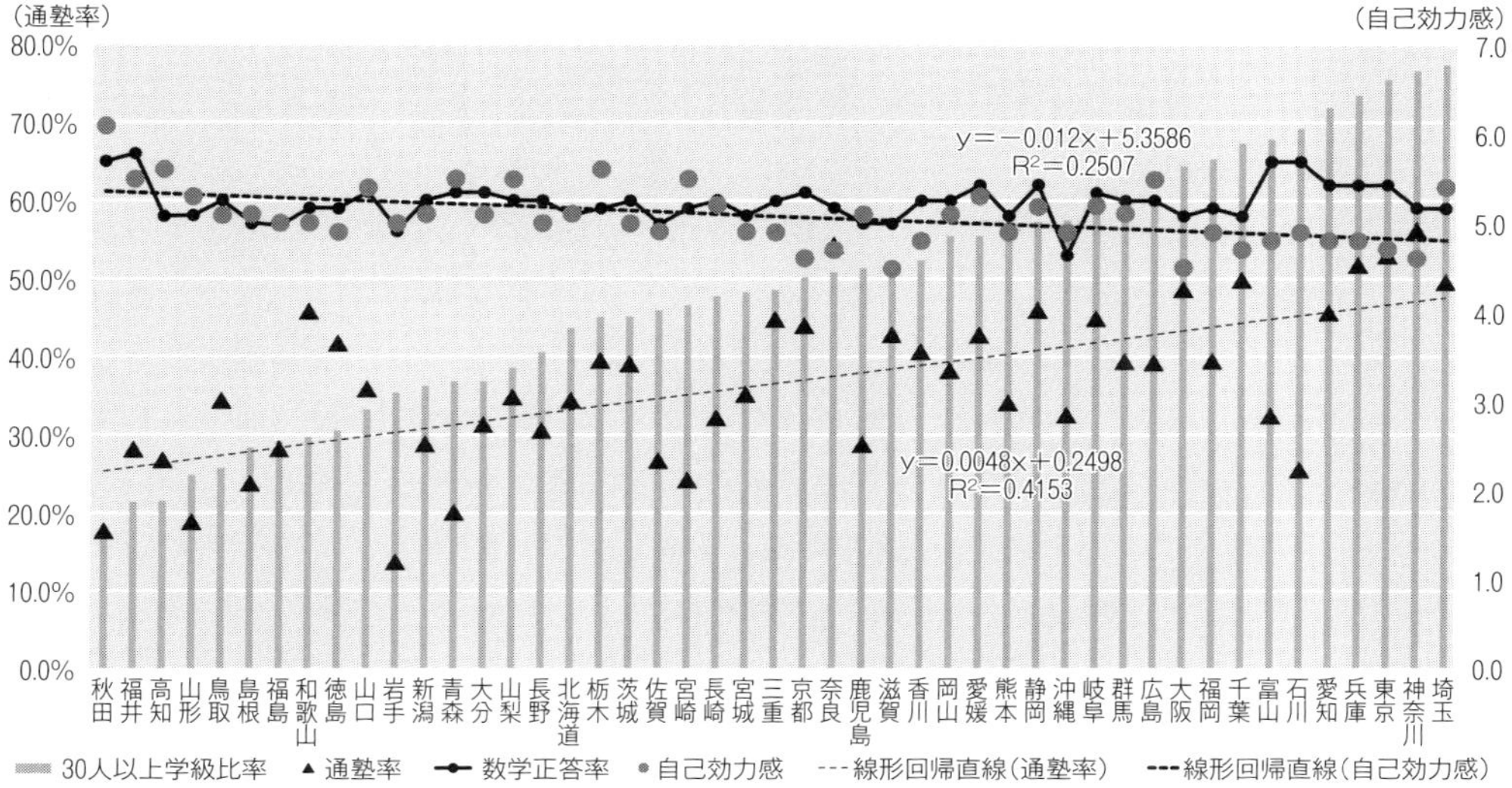

図 3-7　都道府県別　30 人以上学級比率・通塾率・数学正答率・自己効力感（中学校）

データ出所：30 人以上学級比率 ―― 学校基本調査（2020）、通塾率 ―― 全国学力・学習状況調査（2018）、数学正答率・自己効力感 ―― 全国学力・学習状況調査（2019）を用いて筆者作成。

いることになります。

さらに、●印で示した「自己効力感」については、ゆるやかに「右下がり」の傾きになっています。つまり、多人数の学級が多い都道府県ほど、生徒の自信は下がる傾向にあります。教室内のたくさんの生徒の中で埋もれてしまい、自分の意見や個性を発揮することが難しく、教員からもきちんと見てもらえないということが、「自己効力感」の低さにつながっていると推測されるのです。

このように、日本の中でも、都道府県が学級規模についてどのような施策を実施しているかによって、学習環境やその結果に違いが表れてしまっています。もちろん、これは都道府県単位のざっくりした分析で、県民所得などの違いは組み込めていませんが、それでもこのような傾向を見いだすことができます。また、都道府県単位でなく、個々の児童生徒のデータを用いて分析した日本の研究でも、児童生徒が属している学級の規模が小さいほど、「学力」や教員との関係、児童生徒同士の関係、児童生徒の心理状態などに良い効果が見られるということは、繰り返し確認されています。[44]

だからこそ、学級規模を全国のどの地域でも同様に小さくしていくことが、学びの改善のためには必要なのに、日本の教育政策はその手当を十分にしてきませんでした。教員は大きな学級をとりしきる形の授業に精一杯で、個々の生徒の様子を把握して踏み込んだ個別的な指導を行う余裕をもてないでいます。

教員の多忙さ、ICT化の遅れ、理不尽な校則

学級規模が大きいことは、近年の政府が「学校」に対して次々と新たな要請をしていることと相まって、いくつもの問題を生み出しています。

①教員の多忙さ

第一に、すでにしばしば指摘されていることですが、日本の教員は文字通り世界一、多忙です。2021年に、教員という仕事の魅力を発信してもらおうという意図で文部科学省が始めた「#教師のバトン」というハッシュタグを使ったツイッターキャンペーンでは、ふたを開けてみると、ものすごく多数の、悲鳴のように生々しい、多忙の苦しさを訴える教員の声で溢《あふ》れました。トイレにも行けない、残業後にさらに家に持ち帰っ

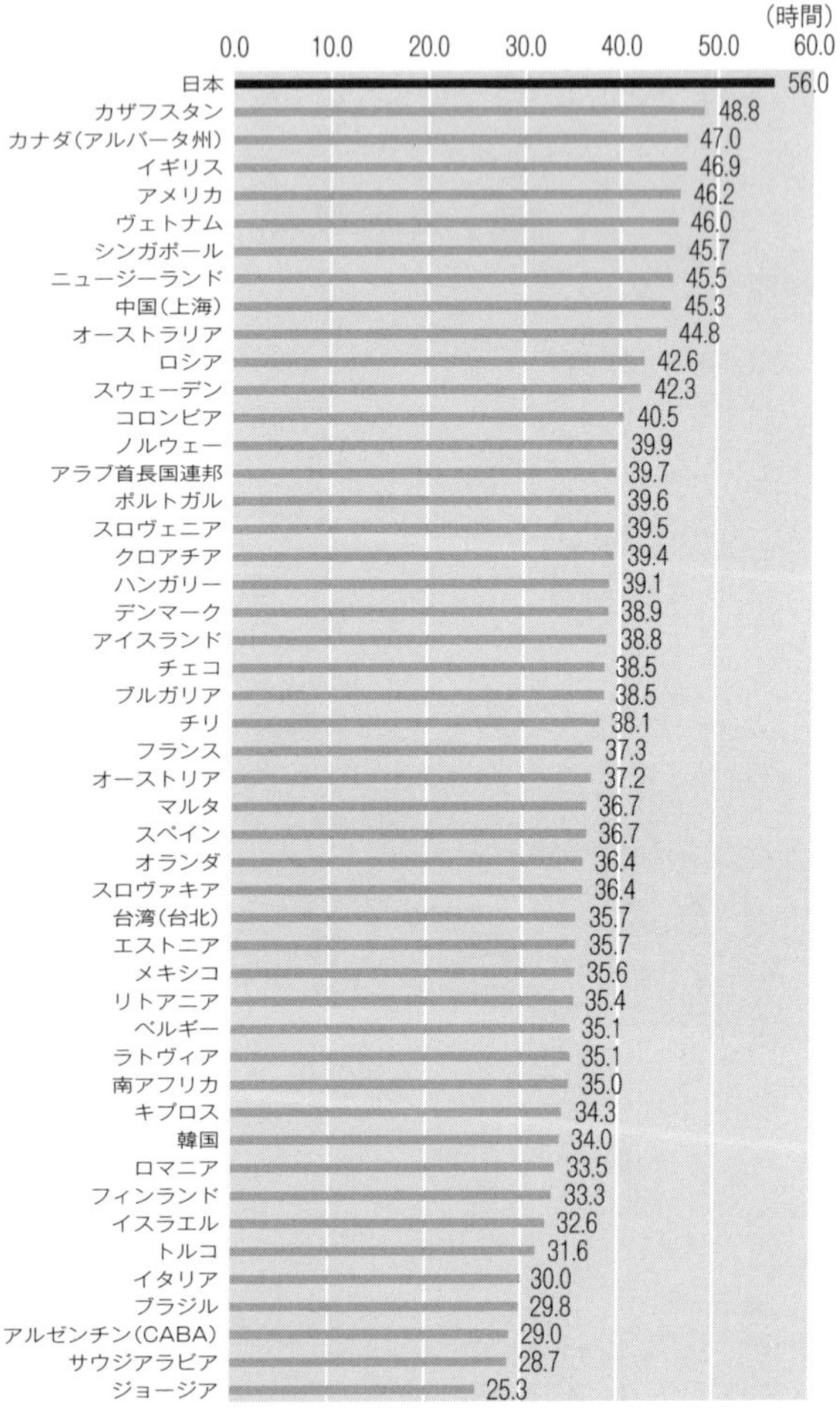

図 3-8　中学校教員の週当たり労働時間（時間）

データ出所：TALIS2018 より筆者作成。

		【仕事時間の合計】	指導（授業）	学校内外で個人で行う授業の計画や準備	学校内での同僚との共同作業や話し合い	児童生徒の課題の採点や添削	児童生徒に対する教育相談（例：児童の監督指導、インターネットによるカウンセリング、進路指導、非行防止指導）
中学校	日本	56.0	18.0	8.5	3.6	4.4	2.3
	日本(前回調査)	(53.9)	(17.7)	(8.7)	(3.9)	(4.6)	(2.7)
	参加48か国平均	38.3	20.3	6.8	2.8	4.5	2.4
小学校	日本	54.4	23.0	8.6	4.1	4.9	1.3

		学校運営業務への参画	一般的な事務業務(教員として行う連絡事務、書類作成その他の事務業務を含む)	職能開発活動	保護者との連絡や連携	課外活動の指導（例：放課後のスポーツ活動や文化活動）	その他の業務
中学校	日本	2.9	5.6	0.6	1.2	7.5	2.8
	日本(前回調査)	(3.0)	(5.5)	—	(1.3)	(7.7)	(2.9)
	参加48か国平均	1.6	2.7	2.0	1.6	1.9	2.1
小学校	日本	3.2	5.2	0.7	1.2	0.6	2.0

表3-1　教員の週当たり労働時間の内訳（時間）

出典：文部科学省「OECD国際教員指導環境調査（TALIS）2018報告書――学び続ける教員と校長――のポイント」

て仕事をする、週末も部活の引率で自分の家族と過ごす時間がほとんどない、といった訴えです。

この日本の教員の異常な働き方は、国際比較にもはっきり表れています。図3‐8は先ほども使ったTALIS 2018の中学校教員の労働時間を参加国・地域別に示したもの、表3‐1は日本の中学校・小学校の労働時間の内訳を参加国平均と対比する形で示したもの（小学校については参加国が少なかったため参加国平均は示していません）です。図3‐8からは、説明が必要ないくらい、日本の中学校教員が長時間働いていることがわかります。表3－1からは、日本の小学校も同程度に長時間労働であること、中学校では課外活動（日本の場合は部活動）、小中ともに事務、学校運営、授業準備などに長い時間をかけていることが読み取れます。日本国内について、さらに詳細に、どのような教員が特に長時間労働になっているかを分析した結果を見ると、いくつかの要因と並んで「担任学級の児童生徒数」が多いほど、小中のいずれでも教員の労働時間が長くなっています。[45] 受け持っている児童生徒数が多ければ、提出物の管理や成績づけなど、仕事量も多くなるのは当然ですね。

教員が多忙すぎることは、心身の疲弊により休職や離職、最悪の場合には過労死にもいたってしまいますから、もちろん大問題です。加えて、教員が余裕がないことにより、教育内容に関する知識を深めたり、時代の変化に合わせた新たな教育方法を取り入れたりすることにも支障が出てしまっていることが、第二の問題です。教員としての指導の質を高めたり更新したりするためにはじっくり腰を据えた研修が必要ですが、TALIS 2018の結果では、日本の中学校教員の中で過去1年間に研修を受けた比率は89％で、

ＯＥＣＤ平均の95％を下回ります。同調査では、研修に参加しにくくなる理由もたずねており、日本の中学校の教員の中で「研修と仕事の予定との間の折り合いをつけにくい」と答えた比率は87％と、韓国と並んで最高レベルです（ＯＥＣＤ平均は54％）。

②ＩＣＴ化の遅れ

第二に、日本の「学校」では、コンピュータやインターネット（ＩＣＴ：情報通信技術）の活用が、他国と比べて非常に遅れ続けていることもしばしば指摘されています（図３－９）。そして、TALIS 2018で、ＩＣＴスキルに関する研修を必要としている度合いをたずねた結果を見ると、日本の中学校教員は、必要と考えている度合いがヴェトナムに次いで二番目に大きい位置にあります。

もちろん、日本の「学校」におけるＩＣＴ活用の遅れは、政府が施設・設備を整えてこなかったことが最大の問題なのですが、コンピュータを配っただけでは、それをうまく活用できるわけではなく、教員がそれを使いこなせるかどうかも重要なのです。そして日本では、教員がそのようなスキルを十分に身につけられていません。このことも、学級内の生徒の多さに伴う教員の多忙、研修の停滞から派生する重大な問題と言えるでしょう。

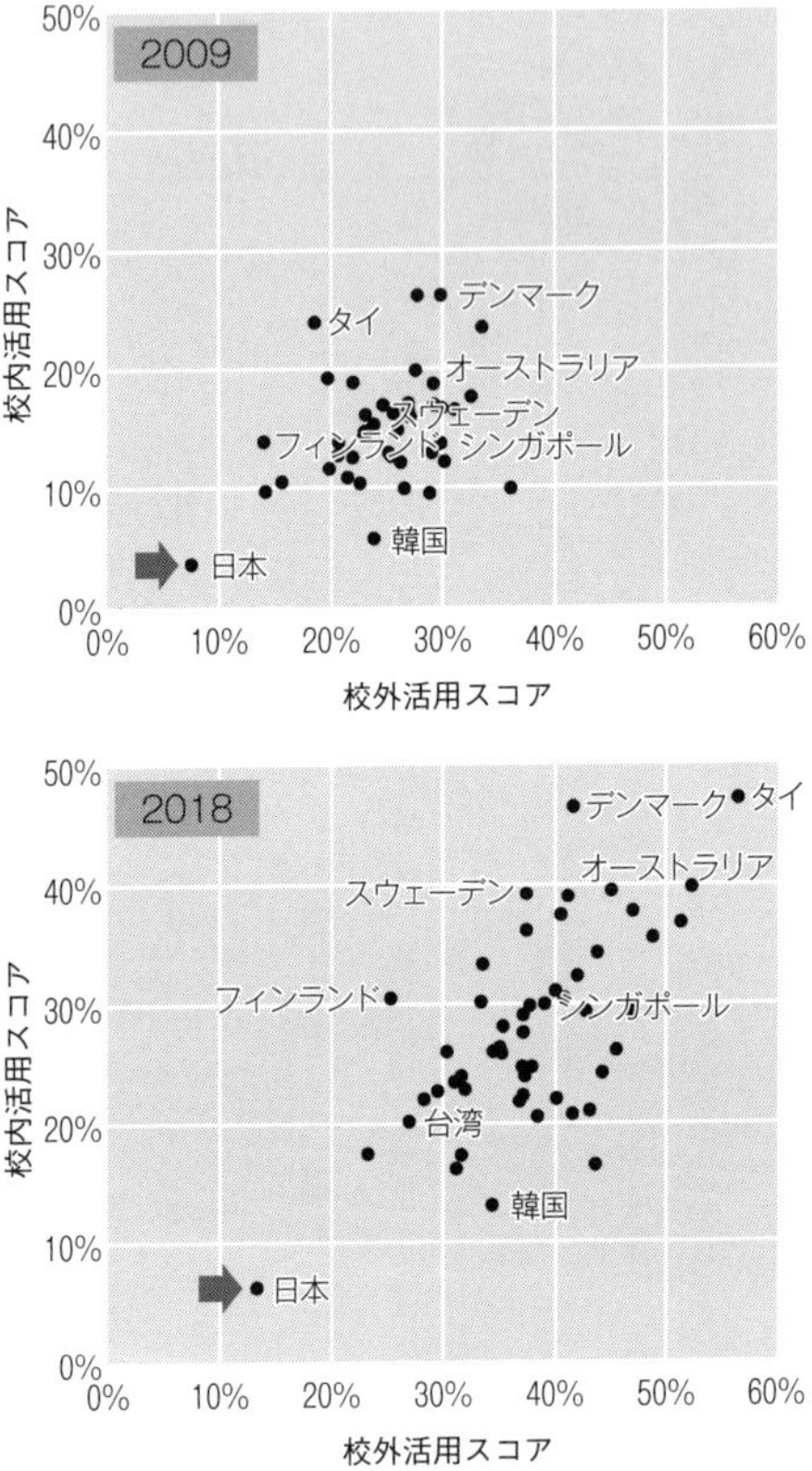

注：豊福（2019）による、OECDの公表データ http://www.oecd.org/pisa/data から校内外活用スコアとして尺度化した2009版と2018版では質問項目がやや異なる。

図3-9　学校内外におけるICTの活用の度合い（2009年・2018年）

出典：豊福晋平「調査回を追うごとに取り残される日本」gakko.site、2020年2月7日

③異常に厳しいルール

第三に、多数の児童生徒をコントロールするために、多忙な教員は、教科指導だけでなく生活指導の面でも、様々なルールで児童生徒をしばる行為に走りがちです。理不尽なほどの細かい校則により、髪型や制服・持ち物を制限し、学校外の生活をも管理しようとする日本の「学校」が、あまりにも児童生徒の人権に反しているのではないかということが、近年日本でも注目されるようになってきました。これには、単に教員が忙しいからというだけではなく、政府や、各自治体で「学校」を監督している教育委員会や、保護者や、地域からの「学校」に対する視線が厳しくなってきているという要因などが複雑に関係しています。しかし同時に、児童生徒の意見や希望に耳を傾ける余地を教員がもっていないために、「学校」の中でのしめつけを厳しくしてしまっているという側面を無視してはいけません。

政府が「学校」に対して支出する予算をできるだけ抑制しようとして、1学級に多くの生徒をつめこんできたことは、以上のような様々な派生的な問題をもたらしています。少子化で減っていく子どもたちにのびのびと力強く育ってもらうためにも、これまでの

「学校」のままでいいわけがない、ということは強く主張しておきたいと思います。

日本の教育制度の特徴としての高校間格差

さて、ここまでは主に「学校」の中での教え方や指導の仕方に関する日本の特徴を見てきました。日本の「学校」を考える上で看過できないもう一つの重要なポイントとして、数多くの「学校」から成り立っている、大きな教育制度そのものの特徴を押さえておく必要があります。

それは、本章の冒頭で述べたように義務教育である小中学校を終えたあとの教育段階である、高校に関する特徴です。私立の小中学校では入学試験がありますが、公立の小中学校では入学試験はなく、家の近くの学校にそのまま行ったり、地域内で選んだりして通っていますね。でも高校は公立でも入学試験があります。中学校を卒業した人の大半が高校に進学するにもかかわらず、高校に行くためには入学試験を受けなければならないのです。これは「あたりまえ」のことではありません。アメリカ、イギリス、カナダ、スウェーデンなどでは、地域の高校に入学試験なしで進学し、高校の中で提供されている様々な科目を選んで学習します。他方、ドイツやスイスでは高校よりも前段階の中学校に入る時点で、学校の成績と本人の進路志望によって、どのタイプの学校に進学するかが分かれます。また、お隣の韓国でも、1970年代半ば以降、高校入試は廃止されて、抽選制度になっています。

しかし日本では、あいかわらず「あたりまえ」のように高校入試が行われており、中学3年生にとっては、どの高校を受験するか、入試に合格できるかどうかが、重大な課題として目の前にぶらさがっている状態にあります。そして、もう半世紀、いや1世紀以上にわたって指摘され続けているのは、高校によって合格の難易度や、高校内での勉強の難しさ、そして高校卒業後の進路（就職するか、専門学校に行くか、大学や短大に行くか。大学に行く場合どの大学に行くか）に大きく違いがあるという、いわゆる「高校の偏差値輪切り体制」の存在です。このように、どんな高校に行けるかが、その後の人生を左右するからこそ、小中学校の義務教育の間に、何とかできるだけ高い「学力」をつけさせよう、つけよう、と駆り立てる圧力が、教員や保護者、そして児童生徒自身の間に、かなり行き渡っているのが日本の「学校」の特質なのです。

これは日本国内では周知のことですが、今世紀に入ってPISAをはじめ国際比較データが整備されたことにより、日本の特殊性や、入試難易度つまり「学力」だけでなく、生徒の家庭背景にも高校間で明確な格差があることが明らかになってきました。[46] そうした研究の例として、教育社会学者の藤村正司《まさし》さんによる分析結果を紹介しておきましょう。

表3－2は、PISA 2015のデータを使って、欧米4カ国と、ここでは「受験社会型」と呼んでいる東アジアの4カ国、合わせて8カ国について、生徒個々人の特性と、生徒が在学している学校（高校）の特性とが、どれほど数学の得点に影響しているかを統計的に分析した結果です。[47]

難しい分析をしていますので、表3－2に示されている数字の意味をすべてわかる必要はありません。注目してもらいたいのは、日本の列の〈学校レベル〉の段の中ほどにある、「家族資本（学校SES）」という行の数値です。この「家族資本」とは、保護者の学歴や職業、家の蔵書数など、生徒の出身家庭が備えている「資源」をまとめて1つの指標にしたもので、いわゆる「社会階層」とも呼ばれ、英語ではSES（Socio-Eco-

	4類型の事例				受験社会型			
モデル	オーストリア	フィンランド	アメリカ	フランス	日本	韓国	台湾	香港
切片	355.166***	272.919***	38.149***	578.539**	476.48***	412.131***		359.734***
(生徒レベル：CWC)								
女子	-23.727**		-10.836***	-18.164***	-11.187***			-18.428***
移民第2世代	-39.994***	-55.233***		-17.259***	—	—	—	5.423*
現在までの留年経験	-37.251***	—	—	-55.371***	—	—	—	—
職業課程在籍	—	—	—	-44.798***	—	—	-44.317**	—
家族資本(生徒SES)	7.834***	30.721***	20.634***	15.713***	6.549***	28.516***	21.924***	7.484***
(学校レベル：mean)								
女子	-22.422*				-24.506*			
移民第2世代				-17.259**	—	—	—	
現在までの留年経験	-119.8***	—	—	-94.431***	—	—	—	
職業課程在籍		—	—	-67.436***		-29.129***	-43.149***	
家族資本(学校SES)	76.015***	54.172***	67.414***	41.666***	152.301***	111.131***	82.301***	51.267***
クラスサイズ				1.311+	1.293*		3.438***	3.178**
公立学校(d)					37.103***		51.279***	28.691**
能力別クラス編成(1～3)			-18.28*	14.228***				-13.3*
〈クロスレベル交互作用〉								
生徒SES*学校SES			9.592**	6.621+	-9.971+			
〈変量効果〉								
切片分散	958.9	279.3	730.8	472.2	950.6	604.4	553.5	1282.2
個人残差	4396.8	5457.6	5558.2	3820.8	4211.3	7169.5	6942.9	5473.5
級内相関(ICC)	0.179	0.049	0.116	0.109	0.184	0.078	0.074	0.189
モデル2：達成動機の追加	(生徒レベルと学校レベルの係数略)							
達成動機（生徒レベル）	9.881***	18.641***	12.994***	8.652***	9.821***	21.373***	20.619***	8.636***
達成動機（学校平均）		18.738*	-41.8*	-21.253+	64.872***	48.228***	62.531***	70.709***
〈変量効果〉								
切片分散	956.3	263.7	647.1	400.4	681.3	533.8	474.4	1137.5
個人残差	4264.4	5135.6	5311.9	3712.6	4110.7	6755.5	6604.4	5408.3
級内相関(ICC)	0.183	0.049	0.109	0.097	0.142	0.073	0.067	0.174
学校数	194	146	157	163	196	158	176	131
生徒数	6,033	5,435	5,182	4,430	6,534	5,389	6,410	4,879

(1) 年齢で調整済み。有意水準：$+p<10\%$, $^{*}p<5\%$, $^{**}p<1\%$, $^{***}p<0.1\%$。ブランク：p >=10%, (-)：モデルに含まない。

(2) ICC (null model)：【オーストリア】0.415, 【フィンランド】0.091, 【アメリカ】ICC= 0.224, 【フランス】0.521, 【日本】0.494, 【韓国】0.241, 【台湾】0.306, 【香港】0.336。

(3) PISA2003：Yij=529.6+17.0×男性 d+2.9×生徒 SES+112.2×学校 SES+15.6×職業科 d：多喜（2011a：45）
PISA2015：Yij=525.2+11.4×男性 d+6.6×生徒 SES+102.0×学校 SES+16.0×職業科 d（生徒 SES は日本版 ESCS を標準化）係数はすべて $p<1\%$。

表 3-2　9カ国の数学得点の規定要因

出典：注 47 の文献、表 4。

nomic Status）と表現されるものです。【⬇第2章「家族」】そして、ある高校に在学している生徒たちの出身家庭の家族資本の学校別平均値を出したものが「学校ＳＥＳ」で、この分析ではそれが生徒の数学得点にどれほど影響しているかを検討しています。表の中の数値にアステリスク（＊）がついているのは、統計的に意味のある影響力であることを意味します。

日本では、この「家族資本（学校ＳＥＳ）」の数値が、他国と比べても非常に大きいですね。一方、その少し上、〈生徒レベル〉の段にある「家族資本（生徒ＳＥＳ）」という行の数値は、日本ではむしろ他国より小さくなっています。これが意味するのは、日本では、在学している高校の生徒たちの出身家庭が平均してどれほど豊かな資源をもっているかが、個々の生徒自身の家庭の資源量よりも、生徒の数学成績に強く影響するということなのです。

平たく言い換えれば、一方には家庭が豊かで恵まれている生徒ばかりがたくさん集まっている高校があり、他方には生活が苦しい家庭の生徒ばかり集まっている高校があり、その中間に様々な家庭の生徒がいろいろな割合で混じりあっている高校もあり、そういうそれぞれの学校環境が、個々の生徒の「学力」を左右するということです。表3－2の日本の結果は、他の7カ国とは明確に異なっており、日本の高校段階が国際的に見ても「異様」なシステムになっていることがわかります。

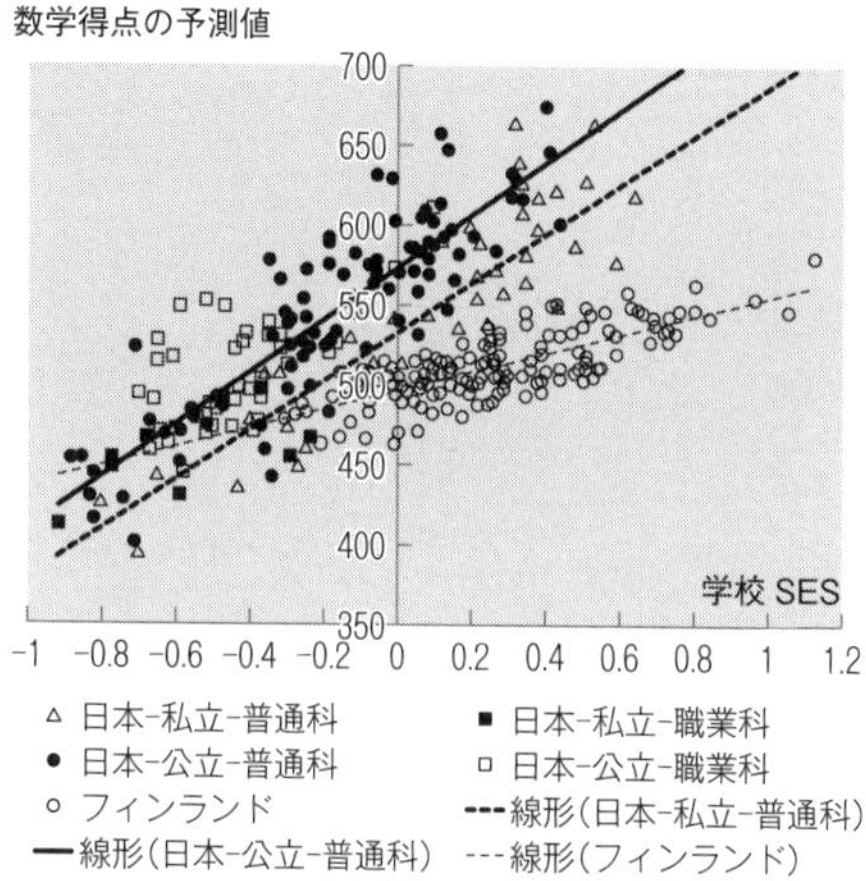

図3-10　数学得点の予測値と学校 SES の関連（日本・フィンランド）

出典：注47の文献、図1。

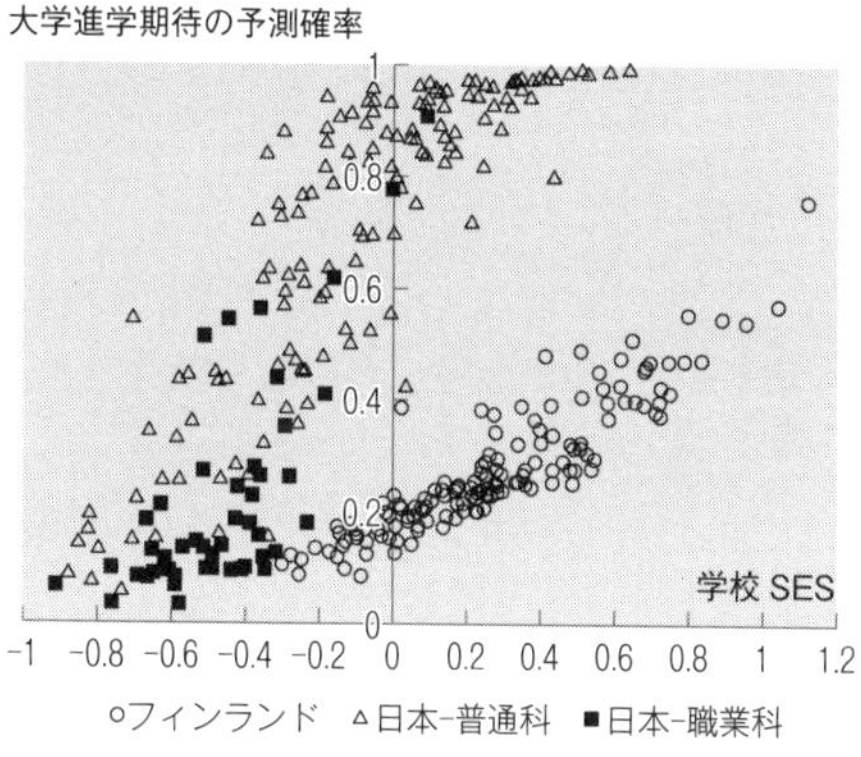

図3-11　大学進学期待の予測確率と学校 SES の関連（日本・フィンランド）

出典：注47の文献、図2。

これは、学校SESと数学得点、学校SESと大学進学期待との関係を散布図に示して日本とフィンランドを比較した結果（図3-10、図3-11）にいっそう明らかです。2つの図中のつぶつぶはそれぞれ高校を表しています。どちらの図でも、横軸の学校SESと数学得点や大学進学期待との関係は、日本に関してきわめて急な傾きをもつ右上がりの関係になっており、学校SESの影響が大きいことが表れています。フィンランドでは右上がりの傾きがずっと緩やかですから、どんな生徒が集まっている高校に行くかということが、成績や進路に影響しにくいことがわかります。

こうした日本の高校段階の特徴を、教育社会学者の松岡亮二さんは、「日本の高校教育制度は「生まれ」によって生徒を各学校に隔離し、異なる教育空間の中で卒業生を見本として進路を自発的に選ぶように促す社会化装置なのだ」と表現しています。[48] このような高校に向けて、本章で先に触れた「試験不安」で子どもたちを駆り立て、高校入学後は個々の高校がそれぞれ「トラック」（陸上競技場の走路のように、人々を別々のルートに割り当ててゆく作用のこと）のように機能して、生徒を異なる将来に向けて送り出していく。このような教育制度の実情のもとでは、学習そのものの意義を感じなくなるのもさもありなんと思えてきます。

「学校」の意義？

ここまで示してきた様々なデータを見ても、まだ「日本の学校の「学力」は高い！」と喜んでいられるでしょうか？　多人数の児童生徒がひしめく教室で、「学力」を効率的に高めることに躍起になり、できるだけ難易度が高い高校や大学に進学させることに注力してきた代償は、相当に大きかったのではないでしょうか？

日本の「学校」は、在学生や卒業生にとって総じて意義のあるものと感じられていない（表3－3）だけでなく、「学校」を終えた者が送り出されてゆく産業界にとっても、求めるスキルを身につけた人材が見つからないという欠乏の度合いが大きいことも問題です。（図3－12）。表3－3の中で、「(c)仕事に必要な技術や能力を身に付ける」という項目でも、日本は他国と比べて非常に低い意義しか感じられていません。[49]【➡第5章「経済・仕事」】

1990年代以降、「学力」だけではなく、「人間力」「生きる力」も大事だ、と大声

			日本 (N=1134)	韓国 (N=1064)	アメリカ (N=1063)	イギリス (N=1051)	ドイツ (N=1049)	フランス (N=1060)	スウェーデン (N=1051)
学校に通う意義	(a)一般的・基礎的知識を身に付ける	「意義がある」	**34.0**	41.1	*64.3*	53.4	56.4	56.9	58.3
		「どちらかといえば意義がある」	*46.5*	40.6	**25.4**	35.2	35.1	36.8	29.4
		合計	**80.5**	81.7	89.7	88.6	91.5	*93.7*	87.7
	(b)専門的な知識を身に付ける	「意義がある」	**29.8**	32.5	50.0	36.4	*51.5*	46.8	36.2
		「どちらかといえば意義がある」	39.0	41.0	37.5	*45.7*	**36.9**	43.2	40.9
		合計	**68.8**	73.5	87.5	82.1	88.4	*90.0*	77.1
	(c)仕事に必要な技術や能力を身に付ける	「意義がある」	**23.4**	29.5	*55.2*	39.9	51.4	49.7	46.3
		「どちらかといえば意義がある」	36.1	39.9	**29.2**	*41.6*	35.8	37.2	35.0
		合計	**59.5**	69.4	84.4	81.5	*87.2*	*86.9*	81.3
	(d)学歴や資格を得る	「意義がある」	**32.6**	44.3	52.7	43.0	*54.1*	47.6	43.3
		「どちらかといえば意義がある」	*40.0*	38.4	**31.4**	39.3	**31.7**	38.5	35.5
		合計	**72.6**	82.7	84.1	82.3	85.8	*86.1*	78.8
	(e)自分の才能を伸ばす	「意義がある」	**22.5**	30.1	48.5	39.0	*50.8*	44.8	42.2
		「どちらかといえば意義がある」	*41.1*	38.6	**32.6**	*40.4*	34.7	*41.1*	36.7
		合計	**63.6**	68.7	81.1	79.4	*85.5*	*85.9*	78.9
	(f)友達との友情をはぐくむ	「意義がある」	**30.8**	31.8	*39.9*	35.5	*40.1*	34.5	31.3
		「どちらかといえば意義がある」	39.7	41.4	**36.4**	43.1	39.7	*46.7*	37.4
		合計	70.5	73.2	76.3	78.6	79.8	*81.2*	**68.7**
	(g)先生の人柄や生き方から学ぶ	「意義がある」	**16.1**	21.1	*39.3*	28.9	22.1	26.2	18.2
		「どちらかといえば意義がある」	38.7	38.4	33.5	*41.4*	32.8	*41.3*	**28.1**
		合計	54.8	59.5	*72.8*	70.3	54.9	67.5	**46.3**
	(h)自由な時間を楽しむ	「意義がある」	28.6	**19.1**	41.5	33.6	*43.4*	*43.1*	26.7
		「どちらかといえば意義がある」	*44.1*	36.0	**35.3**	41.3	39.1	41.0	**34.8**
		合計	72.7	**55.1**	76.8	74.9	82.5	*84.1*	61.5
	(i)課外活動に取り組む	「意義がある」	**19.3**	**19.2**	*38.9*	28.4	28.9	27.3	25.7
		「どちらかといえば意義がある」	38.5	40.2	**32.2**	37.4	41.0	*42.7*	34.2
		合計	**57.8**	59.4	*71.1*	65.8	69.9	70.0	59.9
学校生活の満足度		「満足」	**20.5**	22.2	*53.5*	40.4	38.6	34.4	33.2
		「どちらかといえば満足」	44.6	*49.4*	**32.1**	42.1	*49.3*	*49.4*	42.7
		合計	**65.1**	71.6	85.6	82.5	*87.9*	83.8	75.9

注1：いずれの項目も四件法。学校に通う意義は、在学者は在学中の学校について、卒業者は最後に通学した学校についての回答。
注2：太字は各行で最小の数値、斜字は最大の数値。差がわずかな場合は最小・最大に次ぐ数値も太字もしくは斜字で示す。

表3-3　「学校」の意義と満足度（%）

データ出所：内閣府「我が国と諸外国の若者の意識に関する調査」（平成30年度）より筆者作成。

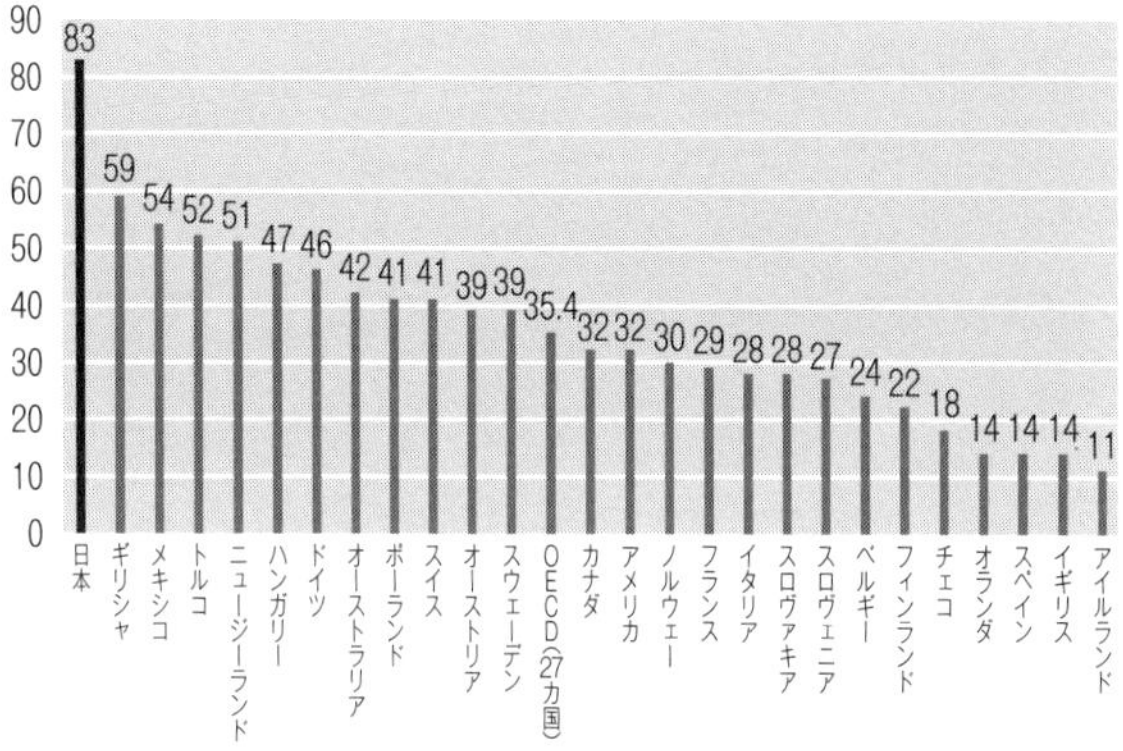

図 3-12　求めるスキルをもつ人材が採用できないと回答した企業の比率

データ出所：ManpowerGroup (2015), Talent Shortage Survey より筆者作成。

で言われるようになってきましたが、そうしたふわっとしたスローガンが何を意味しているのかは不明ですし、「学校」の現場は大して変わらないまま、「何でもできる、大人にとって都合のいい、スゴイ人になってね」という勝手な要請にすぎなかったという反省を、政治家も大人全体も必要としていると私は考えています。[50]

むしろ、次々に新しく社会に参入してくる世代の、様々にありえた個性やスキルを、押しつぶすように「学校」は作用してきたのではなかったか。どんなひどい状況でも、大半の人がそれを経験して慣れてしまえば「あたりまえ」のように思えてしまいます。

しかし、他国という鏡に映してこの国の「学校」を振り返ってみれば、そこには特殊で「異様」な面がたくさん含まれています。慣れ切ってあきらめてしまえば、そのツケやしわよせは、これからの新しい世代にいつまでも直接に降りかかり続け、それはひいては社会全体から活力を奪ってゆきます。国全体を覆う巨大なシステムである「学校」を変えることはとても難しいのは事実ですが、だからこそ、当事者である児童生徒や教員、保護者を含め、多くの人たちに、変えるべきことは変えてゆくという決意や行動が必要とされていると思います。

第4章

友だち

「孤独・孤立対策」の浮上？

２０２１年2月12日、日本で初の「孤独・孤立担当大臣」が指名され、「孤独・孤立対策室」が内閣官房に新設されました。その理由は、新型コロナウイルス感染症の蔓延《まんえん》により、以前と比べて外出などがしにくくなったため、「孤独・孤立」の中に置かれている人が増え、自殺者数の増加などにつながったことにあるとされています。「孤独・孤立対策室」は、省庁横断で対策や支援を行ってゆくと報道されています。イギリスでも２０１８年から孤独担当大臣が設置されたとのことです。

担当大臣が2月19日に行った会見について報じた東京新聞の記事（2月20日付）では、大臣は具体的な施策として、「高齢者や子どもの見守り、地域のつながり強化、住まいの支援」などを挙げたとしています。そして、このような政策が始まる前からチャットによる24時間相談窓口を開設してきたＮＰＯの代表の若い方が、「まずは孤独・孤立の明確な定義と、孤独感を測る指標の開発が必要。対策が精神論だけで動くことがないようにしてほしい」とコメントしています。

本書を執筆している時点では、この「対策室」が具体的に何をするところなのかまだはっきりしていません。でも、想像ではありますが、もしピンポーンと玄関に誰かが来て「政府の事業で来た者ですが、あなたは孤独ですか？」と聞かれたりとか、「あなたは近所のこの人と定期的に話してください」とか指定されたりしても、それは解決になるのだろうか、と思います。相談窓口が拡充されるのは良いことかもしれませんが、相談すると何をしてくれるのか、相談しない・できない人はどうするのか、とも考えてしまいます。「孤独・孤立」対策を政策として実施することは、実はかなり難しい課題なのではないでしょうか。

それは、「孤独・孤立」とは逆のことがらを意味する「人間関係」そのものが、複雑で難しいものであることによります。何らかの人間関係をもっていたとしても、相手がこちらに対して攻撃的だったり無理解だったりすれば、むしろ苦しみの種になります。個々の人間は、これまでの境遇もいまの状態も千差万別ですから、その中で、気持ちが合うな、安心できるな、と感じられる良い関係をつくれる相手と巡り合えるかどうかは、「運」としか言いようがない面もあります。

また、長い時間にわたって接点があり、お互いに大体どんな人なのかわかっていれば、うまく合わせていきやすくなるかもしれませんが、長い付き合いなら必ず大丈夫と言えるわけではありません。なぜなら、関係には血縁関係、恋愛関係、友人関係、仕事上の関係などいろいろありますが、長い時間を共有する確率が高い、親子などの血縁関係であったとしても、対立や葛藤は珍しくないですし、好きだと思って一緒になった恋人や配偶者とも別れる場合は多々あります。仕事上の関係は、文字通り仕事上やむをえず接点が多くなっているだけのことも多いです。

つまり、「人間関係」や「つながり」は、一応ありさえすればよいものではなく、その中身や質が重要で、だからこそ難しいということです。稀薄《きはく》すぎてもさびしい、濃密すぎても苦しい。踏みつぶしてくるような関係がつらいことは言うまでもありません。一体どうすれば、誰もが息のしやすい、気持ちが明るくなるような関係が可能になるのでしょうか。

「社会関係資本」と「親密性」

このように複雑微妙な「人間関係」は、社会学の成立以来、重要な研究テーマの一つとされてきました。これまでの数多くの研究では総じて、「孤独・孤立」の状態ではない、つまり、他者との間に良い関係を築けていることが、個人や社会にとって好ましい影響を及ぼすと指摘されています。

社会学の用語では、「人間関係」が量的・質的に充実している度合いは、「社会関係資本」(Social Capital)と呼ばれています。[51]「資本」という言葉遣いからもわかるように、それを多く豊かにもっているほど、個人や社会は何らかの「利益」を得ることができると考えられています。その「利益」とは、個人にとっての客観的な収入や地位だけでなく、主観的な満足度や幸福度、あるいは社会や地域の安定性(犯罪の減少など)までを含んでおり、非常に広い意味で捉えられています。また、「社会関係資本」を捉える指標も様々で、「どんな知人がどれほどいるか」といった、まさに「人間関係」の量や広がりを数量的に把握する研究もあれば、「他人は全般的に信頼できると考えているか」といった、主観的な側面を重視する研究もあります。「社会関係資本」の性質を、「結束型」か「架橋型《かきょうがた》」か、「強い紐帯《ちゅうたい》」か「弱い紐帯」かといった形で分類する研究も蓄積されてきました。

「人間関係」と密接にかかわる社会学用語としては、「親密性」も挙げられます。「親密性」は、どちらかというと、家族や恋愛などについて使われることが多い言葉ですが、友人などまでを含む場合もあります。[52]「親密性」のあり方が、長い年月の中で、社会の変化とともに変わってきているのではないか、社会によっても違っているのではないか、といった問いは、社会学にとって重要な関心の対象でした。[53]

このように、「人間関係」に関する社会学の研究蓄積は膨大にありますが、ここでは多種多様な関係性の中で、昔よりも最近になるほど重要化していると言われ、かつ若いみなさんにも身近な、一般に「友だち」と呼ばれている関係——家族でも同僚でも単なる知人でもない関係——に焦点を当てて、特に国際比較の観点から、日本社会にどのような特徴が見られるのかを検討してみましょう。

子ども・若者にとっての「友だち」

まず、若い年齢層における「友だち」の現状を確認します。表4-1は、内閣府が2018年に、日本を含む7カ国の13~29歳の男女、各国約1000名に対して実施した「我が国と諸外国の若者の意識に関する調査（平成30年度）」から、「友だち」に関する項目を抜き出してまとめたものです。[54] B、C、F、Gは、多数の項目の中から、「友だち」や人間関係に関連する項目を取り出して示しています。

「友だち」に関するもっとも基本的な事柄として、Aの「仲が良い友だちの人数」を見ると、日本では他の6カ国と比べて特徴的な分布をしていることがわかります。それは、「いない」と「31人以上」という両端で、日本は7カ国中でもっとも比率が大きくなっているということです。特に、「いない」が1割を超えているのは日本だけです。逆に、他国ではボリュームゾーンとなっている「1から5人」「6から10人」のいずれについても、日本で比率が7カ国中で最小レベルになっています。

「いない」が多いことと関係しているのか、Bの「充実していると感じるか」で「友人や仲間といるとき」を選んだ比率や、Eの友人との関係に「満足」を選んだ比率、そしてFの「学校に通う意義」として「友情をはぐくむ」を選んだ比率などは、やはり7カ国中で日本がもっとも少なくなっており、そしてEの「該当する人はいない・わからない」の比率は7カ国中最大となっています。また、Gの「人は信用できないと思う」に

			日本 (N=1134)	韓国 (N=1064)	アメリカ (N=1063)	イギリス (N=1051)	ドイツ (N=1049)	フランス (N=1060)	スウェーデン (N=1051)
A	仲が良い友だちの人数	「いない」	*13.2*	3.2	5.5	4.9	**2.7**	3.7	4.9
		「1 から 5 人」	**42.9**	48.5	54.7	51.4	*57.8*	47.2	51.7
		「6 から 10 人」	**25.4**	*34.2*	**25.7**	29.5	28.4	30.9	26.3
		「11 から 20 人」	10.1	10.1	9.1	9.0	**7.4**	*12.1*	10.7
		「21 から 30 人」	2.6	1.5	2.8	2.7	**1.3**	*3.2*	*3.3*
		「31 人以上」	*5.7*	**2.5**	**2.3**	**2.5**	**2.4**	2.9	3.1
B	充実していると感じるか「友人や仲間といるとき」	「あてはまる」	**31.0**	38.6	*55.4*	45.6	48.0	48.3	43.7
		「どちらかといえばあてはまる」	*43.4*	*43.5*	**33.2**	40.6	40.6	41.3	40.6
		合計	**74.4**	82.1	88.6	86.2	88.6	*89.6*	84.3
C	悩みや心配事「友人や仲間のこと」	「そう思う」	**9.1**	*23.8*	20.2	13.4	**9.4**	12.0	**9.3**
		「どちらかといえばそう思う」	29.2	*37.1*	23.6	26.7	25.1	25.2	**22.2**
		合計	38.3	*60.9*	43.8	40.1	34.5	37.2	**31.5**
D	悩みや心配事の相談相手	「近所や学校の友だち」	*31.8*	*31.7*	13.2	10.8	27.2	**8.1**	**8.3**
E	友人との関係に満足を感じているか	「満足」	**18.4**	29.6	*53.2*	38.4	35.8	36.3	34.0
		「どちらかといえば満足」	*46.6*	40.8	**30.5**	39.9	45.8	44.5	35.1
		合計	**65.0**	70.4	*83.7*	78.3	81.6	80.8	69.1
		「該当する人はいない・わからない」	*19.4*	9.8	5.1	6.3	**3.2**	4.8	5.4
F	学校に通う意義「友達との友情をはぐくむ」	「意義があった／ある」	**30.8**	31.8	*39.9*	35.5	*40.1*	34.5	31.3
		「どちらかといえば意義があった／ある」	39.7	41.4	**36.4**	43.1	39.7	46.7	37.4
		合計	70.5	73.2	76.3	78.6	79.8	*81.2*	**68.7**
G	あなた自身にどれくらいあてはまるか「人は信用できないと思う」	「そう思う」	18.7	13.2	*21.3*	20.0	**12.4**	15.8	15.4
		「どちらかといえばそう思う」	*37.3*	33.6	36.0	*37.2*	32.2	35.3	**28.4**
		合計	56.0	46.8	*57.3*	*57.2*	44.6	51.1	**43.8**

注：B、C、F、G については四件法、E は四件に「該当する人はいない・わからない」を加えた五件法、D は複数回答。太字は当該の回答比率が 7 カ国中で最小の値、斜字は同じく最大の値。

表 4-1　7 カ国における「友だち」の状況（%）　データ出所：注 54 の文献より筆者作成。

ついても、トップではありませんが高いレベルで肯定しています。

ただし、Cの「悩みや心配事」として「友人や仲間のこと」を挙げた比率は少なくなっています。「友だち」が「いない」場合には悩みや心配も減るのかもしれません。「いない」こと自体が悩みになるということもありそうですが、日本ではそうでもないようです。また、Dの「悩みや心配事の相談相手」として「近所や学校の友だち」を挙げた比率は7カ国中でむしろ多く、この点では「友だち」の存在感が強くなっています。なお、表4－1には示していませんが、他国ではむしろ親やきょうだいなどに相談する比率が日本より高く、日本では家族に相談する比率が少ないぶん、「友だち」が相談相手になっているようです。

このように、表4－1から見えてくる日本の特徴は一貫していない面もありますが、「友だち」が「いない」比率の大きさや、「充実」や「満足」の度合いの低さなどについては、懸念が生じます。

「友だち」が多い・少ないのはだれか

なぜ日本において、「友だち」が「いない」比率と、きわめて多数の「友だち」をもっている比率が、どちらも大きくなるという、両極化が生じているのでしょうか。この問いについて、表4－1の調査の5年前の2013年に同じ内閣府が実施した、「我が国と諸外国の若者の意識に関する調査（平成25年度）」のデータを、教育社会学者の鈴木翔さんが分析した結果では、いくつかの興味深いことが指摘されています。[55]

図4－1は年齢別、表4－2は調査対象者の状態別に、仲が良い友人の数を示しています。日本では、図4－1における「13～18歳」、表4－2における「学校に在学」ではは7カ国中でもっとも平均友人数が多いのですが、それは年齢がより上になったり（図4－1）、学校を出て仕事（特にパートやアルバイト）に就いたり無職になったりした場合に、がくっと減少します。

ここからうかがえるのは、両極のうちの多いほうについては、学校のクラスや部活などの中でわちゃわちゃやっている場合に、その集団が日本では「友だち」と認識されているものが、学校を出るとその関係が急激に失われて、少数もしくは「いない」ケースが増加するようだということです。
ただし、学校【⬇第3章】に在学している間も、全員が大勢でわちゃわちゃできているわけではありません。表4-3①は男性について、表4-3②は女性について、それ

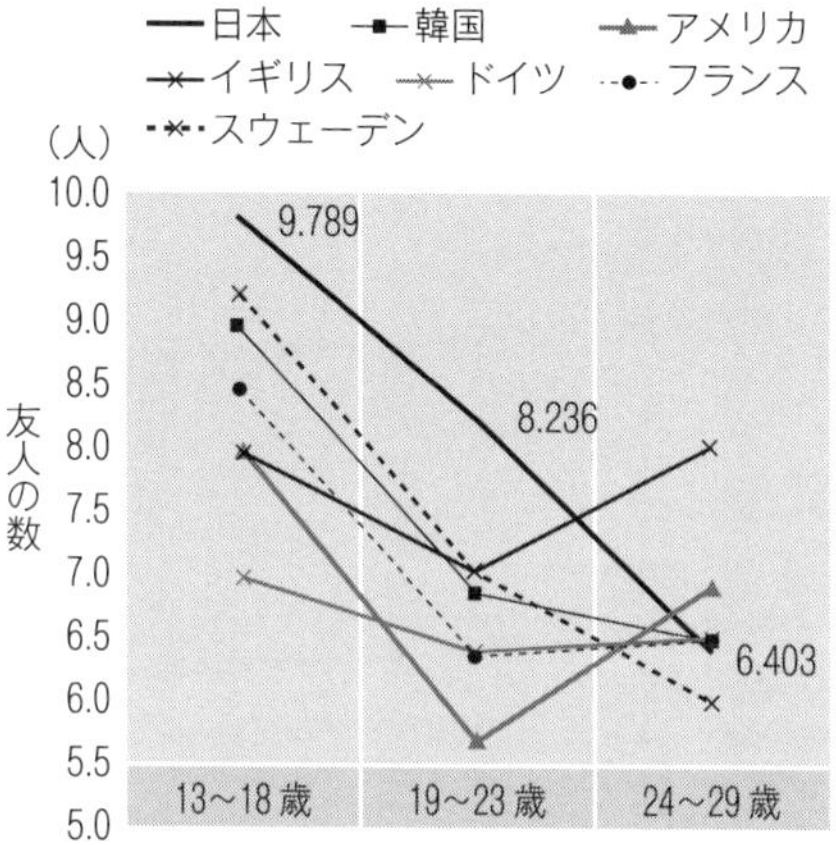

図4-1　年齢ごとの仲が良い友人数の平均（国際比較）
出典：注55の文献、図1。

（人）

	日本	韓国	アメリカ	イギリス	ドイツ	フランス	スウェーデン
学校に在学	9.6	7.9	7.2	8.2	6.9	7.7	8.2
フルタイム（正社員・正職員）	7.4	7.1	7.5	8.1	7.0	6.9	6.7
パート・アルバイト（学生を除く）	5.8	6.1	6.6	7.5	4.7	6.3	6.4
無職	5.1	4.4	5.6	5.6	5.0	5.3	5.9
全体	8.2	7.2	6.8	7.6	6.6	7.0	7.4

表4-2　在学・就労形態別の仲が良い友人数の平均（日本）
出典：注55の文献、表2。

	日本	韓国	アメリカ	イギリス
	回帰係数	回帰係数	回帰係数	回帰係数
年齢	−0.232^{+}	−0.217 *	−0.152^{+}	0.108
在学ダミー	2.323^{+}	0.622	0.864	1.265
フルタイムダミー	1.778	1.104	1.613^{+}	0.287
パート・アルバイトダミー	1.175	0.314	−0.352	0.952
既婚・事実婚ダミー	1.123	−1.777	1.977 *	2.463 **
恋人ありダミー	0.660	1.489^{+}	1.995 **	0.817
（誇り）明るさダミー	1.847 *	1.748 *	2.148 *	2.145^{+}
（誇り）やさしさダミー	0.871	0.056	−1.784	0.451
（誇り）忍耐力・努力家ダミー	0.818	0.604	1.121	−0.281
（誇り）慎み深さダミー	1.701^{+}	−0.947	0.812	−0.399
（誇り）賢さ・頭の良さダミー	−0.037	0.357	−0.496	−1.102
（誇り）まじめダミー	−2.033 *	0.075	−0.362	1.411
（誇り）正義感ダミー	−0.696	0.949	0.939	−0.357
（誇り）決断力・意志力ダミー	−0.557	0.571	0.001	0.192
（誇り）体力・運動能力ダミー	1.521^{+}	0.676	−0.312	1.301
（誇り）容姿	−0.080	−0.687	1.032	1.900^{+}
（定数）	6.694 ***	6.796 ***	4.045 *	1.588
決定係数	0.092	0.066	0.075	0.074
自由度調整済み決定係数	0.068	0.036	0.047	0.046
回帰のF検定	p=0.000	p=0.004	p=0.001	p=0.001
有効度数	613	519	528	541

	ドイツ	フランス	スウェーデン
	回帰係数	回帰係数	回帰係数
年齢	−0.032	−0.158	−0.192 *
在学ダミー	1.046	1.401	2.017 *
フルタイムダミー	2.180 *	1.238	0.276
パート・アルバイトダミー	2.804 **	1.125	0.445
既婚・事実婚ダミー	−0.638	0.463	0.522
恋人ありダミー	−0.491	0.353	1.790^{+}
（誇り）明るさダミー	1.026	2.799 **	2.041^{+}
（誇り）やさしさダミー	0.738	−2.317	−1.973
（誇り）忍耐力・努力家ダミー	0.769	−0.052	0.959
（誇り）慎み深さダミー	−1.582 *	−1.113	−0.725
（誇り）賢さ・頭の良さダミー	0.052	0.230	0.966
（誇り）まじめダミー	0.676	0.352	−0.633
（誇り）正義感ダミー	0.129	0.946	0.079
（誇り）決断力・意志力ダミー	−0.462	−0.388	1.046
（誇り）体力・運動能力ダミー	−0.575	−0.589	1.904 *
（誇り）容姿	2.121 **	1.537^{+}	−0.021
（定数）	3.579 *	6.761 **	5.594 **
決定係数	0.055	0.061	0.086
自由度調整済み決定係数	0.025	0.030	0.058
回帰のF検定	p=0.024	p=0.015	p=0.000
有効度数	524	496	541

(*** : $p<0.001$, ** : $p<0.01$, * : $p<0.05$, $^{+}$: $p<0.1$)

注：「ダミー」とは、あてはまる場合に1、あてはまらない場合に0をとる変数。

表4-3①　男性の仲が良い友人数の規定要因（重回帰分析）
出典：注56の文献、表14。

	日本	韓国	アメリカ	イギリス
	回帰係数	回帰係数	回帰係数	回帰係数
年齢	0.188	−0.149 +	−0.223 *	0.013
在学ダミー	4.707 ***	1.320 +	−0.021	1.735 *
フルタイムダミー	2.243 *	1.150	1.788 *	1.425 *
パート・アルバイトダミー	1.164	−0.072	1.830 +	1.913 **
既婚・事実婚ダミー	−0.194	0.676	1.444	−0.001
恋人ありダミー	−0.701	−0.356	0.347 **	−0.650
（誇り）明るさダミー	3.542 ***	1.075 +	2.425	1.984 *
（誇り）やさしさダミー	2.171 *	0.390	−0.721	0.173
（誇り）忍耐力・努力家ダミー	0.248	0.840	−0.187	−0.071
（誇り）慎み深さダミー	−1.687 *	0.662	−0.862	0.275
（誇り）賢さ・頭の良さダミー	0.832	0.259	0.673	−0.971
（誇り）まじめダミー	−0.877	−1.211 +	−2.099 +	0.898
（誇り）正義感ダミー	0.337	0.432	1.851	1.043
（誇り）決断力・意志力ダミー	0.521	0.500	0.955	0.104
（誇り）体力・運動能力ダミー	2.214 **	0.726	0.931	0.464
（誇り）容姿	−0.708	0.132	0.295	−0.036
（定数）	−0.448	4.804 ***	4.765 **	1.979
決定係数	0.161	0.087	0.078	0.061
自由度調整済み決定係数	0.136	0.057	0.048	0.033
回帰の F 検定	p=0.000	p=0.000	p=0.001	p=0.007
有効度数	560	505	506	535

	ドイツ	フランス	スウェーデン
	回帰係数	回帰係数	回帰係数
年齢	−0.020	−0.222 **	−0.196 *
在学ダミー	0.835	0.099	0.159
フルタイムダミー	0.643	0.536	1.724 *
パート・アルバイトダミー	−1.228 +	0.640	1.120
既婚・事実婚ダミー	−0.219	0.301	−1.570 *
恋人ありダミー	0.430	−1.200 +	−0.664
（誇り）明るさダミー	1.161	1.205	2.672 **
（誇り）やさしさダミー	−0.649	0.962	−0.583
（誇り）忍耐力・努力家ダミー	0.226	0.235	−0.618
（誇り）慎み深さダミー	−0.842	0.309	−0.786
（誇り）賢さ・頭の良さダミー	0.671	0.606	0.417
（誇り）まじめダミー	−0.781	0.488	−0.910
（誇り）正義感ダミー	0.818	0.551	0.421
（誇り）決断力・意志力ダミー	0.577	0.089	0.963
（誇り）体力・運動能力ダミー	1.051 +	0.813	0.811
（誇り）容姿	1.147 *	−0.239	0.880
（定数）	3.076 *	4.050	5.779
決定係数	0.075	0.076	0.079
自由度調整済み決定係数	0.045	0.046	0.050
回帰の F 検定	p=0.001	p=0.001	p=0.000
有効度数	508	508	533

（*** : p<0.001, ** : p<0.01, * : p<0.05, + : p<0.1）

表 4-3 ② 女性の仲が良い友人数の規定要因（重回帰分析）
出典：注 56 の文献、表 15。

ぞれ、仲の良い「友だち」の数に影響する要因を、重回帰分析という統計手法によって分析した結果です。[56] 表の中の数字に＋や＊の印がついている場合に、統計的に影響力が認められたことになり、また数字の符号がプラスであれば友人数を増やす方向、マイナスであれば減らす方向に作用していることを意味します。日本の男性について他国と比べて特徴的なのは、「自分について誇れること」として「まじめさ」を挙げているとマイナスに、「体力・運動能力」を挙げているとプラスになっていることです。在学中であることもプラスになっていますが、たとえ在学中であっても、「まじめ」な男子は友人が少なく、逆に運動が得意な男子は友人が多いというように、個人特性によって友人数が左右されやすいことが示されています。

表４－３②の女性については、「明るさ」、「やさしさ」、「体力・運動能力」について自分に誇りをもっていることがプラスに、「慎み深さ」に誇りをもっていることはマイナスになっています。これら、友人数に影響する要因は他国と比べても日本では数が多く、こうした個人特性によって、友人数が多くなったり少なくなったりしやすいことが、やはり確認されます。

日本ではこのように、特に学校の中で、ある種の個人特性を備えた生徒や学生が大勢でわちゃわちゃしやすい状況があるようですが、それは、そのような特性をもたない者が、人間関係をつくりにくいことを意味しています。こうした交友範囲や集団内の影響力の格差が、いわゆる「スクールカースト」につながっていると考えられます。そして、表4－1で見たように、総合的に見れば日本の若者の「友だち」関係の充実度や満足度は決して高いものではありません。表4－1よりも多くの40カ国を対象として、15歳の若者の中で「学校で友だちをつくるのは簡単だ」と考えている比率を比較した結果（図表は省略）を見ても、日本でそう考えている比率は69％で40カ国中39位と、かなり残念な状況にあるのです[57]。

「スクールカースト」と「いじめ」

「スクールカースト」は、時に「いじめ」につながる場合もあります。やはり15歳の若者を対象として、多数の国・地域の間で、「いじめ」の被害経験の実態を把握した結果が図4－2です。これは、ＯＥＣＤが２０１５年に実施した「生徒の学習到達度調査

国・地域	「いじめの被害経験」指標	他の生徒から仲間はずれにされた	他の生徒にからかわれた	他の生徒におどされた	他の生徒に自分のものを取られたり、盗まれたりした	他の生徒にたたかれたり、押されたりした	他の生徒に意地の悪いうわさを流された
		少なくとも月に数回いじめの被害を経験していると答えた生徒の割合(%)					
ラトビア	0.65	12.7	15.0	6.5	7.2	8.4	13.2
ニュージーランド	0.61	12.8	17.4	8.3	6.3	6.7	12.8
シンガポール	0.51	11.9	18.3	4.4	5.1	5.1	8.7
マカオ	0.49	9.5	19.9	6.2	8.5	4.2	9.3
オーストラリア	0.45	12.8	15.1	7.2	5.7	5.7	11.2
イギリス	0.40	11.4	15.1	6.5	4.7	5.4	11.1
カナダ	0.39	9.5	13.4	4.7	4.0	5.0	7.8
カタール	0.36	12.2	14.6	8.7	9.1	8.8	12.3
チュニジア	0.32	11.7	13.1	9.4	7.4	8.6	12.6
アラブ首長国連邦	0.30	12.4	15.9	8.2	9.4	8.0	12.7
ポーランド	0.27	8.3	11.7	3.9	4.2	4.1	13.0
エストニア	0.24	6.6	13.7	3.0	3.9	4.7	6.9
スイス	0.24	5.6	10.7	2.4	4.6	2.8	7.0
フィンランド	0.23	7.2	10.5	3.1	2.7	4.6	6.8
デンマーク	0.22	6.0	11.2	1.9	4.2	3.5	7.7
香港	0.21	8.5	26.1	7.1	10.5	9.5	9.4
ベルギー	0.18	5.9	11.1	2.7	3.0	3.1	8.8
ドイツ	0.17	5.4	9.2	1.7	3.8	2.3	7.3
アメリカ	0.16	10.0	11.4	4.9	3.5	3.8	7.9
コロンビア	0.16	8.3	11.5	3.3	4.5	4.0	10.9
チェコ	0.15	9.8	11.1	4.5	7.3	7.5	13.3
チリ	0.15	7.4	9.6	2.9	4.6	3.2	9.6
ブルガリア	0.14	8.1	12.4	5.9	7.4	9.1	12.4
メキシコ	0.13	9.0	13.0	4.1	4.6	5.3	9.3
タイ	0.11	12.3	19.9	8.6	9.6	7.1	11.1
スロバキア	0.10	10.3	10.4	4.9	6.2	4.9	12.4
コスタリカ	0.10	8.1	11.8	4.6	2.0	2.7	12.2
アイルランド	0.10	5.9	8.5	2.9	3.4	3.1	6.0
北京・上海・江蘇・広東	0.10	7.9	12.3	3.5	12.5	4.2	6.3

「いじめの被害経験」指標の目盛：−1.5　−1.0　−0.5　0.0　0.5　1.0

オーストリア	0.10	5.7	11.9	2.9	5.3	4.2	7.7
スロベニア	0.01	5.4	8.8	2.7	3.4	4.1	8.2
OECD 平均	0.00	7.2	10.9	3.7	4.2	4.3	8.4
ノルウェー	−0.01	7.0	9.4	3.8	5.0	4.6	8.4
ロシア	−0.01	18.1	11.8	5.0	5.6	3.1	9.0
ウルグアイ	−0.05	8.8	10.3	4.2	4.1	4.0	7.8
ハンガリー	−0.06	9.4	9.6	3.9	5.0	3.9	11.8
フランス	−0.08	6.7	11.7	3.0	3.0	3.1	7.7
スペイン	−0.09	4.5	8.0	2.6	3.8	2.9	6.0
リトアニア	−0.10	6.8	9.2	4.8	4.2	4.4	7.9
スウェーデン	−0.11	6.4	9.4	3.9	4.5	5.4	7.1
クロアチア	−0.12	5.1	8.0	3.9	3.5	3.9	9.5
ルクセンブルク	−0.15	5.7	8.6	3.4	4.2	3.5	7.9
日本	−0.21	4.7	17.0	2.5	2.8	8.9	6.1
ブラジル	−0.23	7.8	9.3	4.1	5.3	3.2	7.9
ペルー	−0.23	6.2	7.7	2.7	5.4	3.6	9.6
ドミニカ共和国	−0.29	16.2	15.3	8.3	11.4	4.8	13.1
オランダ	−0.33	2.5	4.3	1.3	2.2	1.8	4.9
アイスランド	−0.43	4.6	6.7	2.9	1.8	2.4	4.9
ポルトガル	−0.52	4.7	6.7	3.2	3.0	2.3	5.6
ギリシャ	−0.55	4.9	10.0	3.2	4.6	4.3	7.3
台湾	−0.57	3.3	6.8	1.0	3.5	0.8	3.5
モンテネグロ	−0.91	4.9	6.8	6.2	4.0	3.5	9.9
トルコ	−0.97	8.6	9.2	6.0	5.5	4.5	9.0
韓国	−1.44	1.4	10.2	0.9	1.6	0.9	2.8

注 1:「いじめの被害経験」指標の値が大きい順に上から国を並べている。

注 2:「少なくとも月に数回」いじめの被害を経験している生徒の割合は、「月に数回」及び「週に 1 回以上」を合わせた数値である。

出典:OECD(2017)より国立教育政策研究所が作成。

図 4-2 「いじめの被害経験」指数　出典:注 58 の文献、図表 24。

（Programme for International Student Assessment: PISA）」における質問紙調査の結果を分析したものです[58]。ＯＥＣＤが作成した「いじめの被害経験指標」によれば、日本のいじめ被害はＯＥＣＤ平均と比べても多くありません。しかし、この指標の作成に使われた具体的な項目を見ると、「他の生徒から仲間外れにされた」（日本では「少なくとも月に数回」経験した比率は４・７％）、「他の生徒におどされた」（同２・５％）、「他の生徒に自分のものを取られたり、盗まれたりした」（同２・８％）、「他の生徒に意地の悪いうわさを流された」（同６・１％）については、日本での被害経験はＯＥＣＤ平均（順に７・２％、３・７％、４・２％、８・４％）よりも少ないのですが、「他の生徒にからかわれた」（日本では17・０％）、「他の生徒にたたかれたり、押されたりした」（同８・９％）については、ＯＥＣＤ平均（それぞれ10・９％と４・３％）よりも経験率が高くなっています。なお、図４－２の５項目のうち、「仲間外れにされた」を除く４項目では、日本の男子のほうが女子よりも多く経験しています。

この調査の分析では、他国には見られない日本の特徴として、科学的リテラシー（科学のテスト成績）が高い生徒ほど、「他の生徒にからかわれた」比率が明らかに上昇していることが指摘されています（図表は省略。注58の文献を参照）。他国では、テストの成績が良いほど、いじめ被害経験は減少しているのとは逆の傾向が、日本では見いだされるのです。

先の表4－3①では、日本の男性は「まじめ」であるほど友人数が少ないという結果になっていましたが、まじめであったり成績が良かったりすることが、学校内での交友関係を阻害したり、からかいのターゲットになりやすくしたりするのは、日本独特の、好ましいとは言えない状況だと言えます。

改めて強調しておきたいのは、日本の学校における「友だち」のあり方――大勢で群れたり、個人特性で交友範囲に差がついたり、まじめで成績が良いことでからかわれたりする――は、あくまで学校生活という、特定の時期・場所における独特な構造だということです。先述の通り、学校を卒業すれば、そうした特殊な「友だち」関係は急速に消滅していきます。それは時に、「友だち」そのものの喪失にもつながりますが、学校という閉鎖空間の息苦しさからの解放にもなりうるのです。

大人にとっての「友だち」

次に、より年長の層、つまり日本の「大人」の「友だち」関係がどのようであるのかについて、もう少し詳しく見てみましょう。

少し前になりますが、OECDが2005年に刊行した“Society at a Grance”という報告書に掲載されていた、あるデータが日本で話題になりました。政府の審議会資料にも掲載されたそのデータが図4-3です。図にあるOECD加盟国20カ国のうち、「家族以外の人」つまり「友人、職場の同僚、その他社会団体の人々」との交流が「全くない」あるいは「ほとんどない」と答えた人の割合が、日本では15・3%ともっとも高くなっているのです。

このような、日本における人間関係の希薄さは、より最近のデータでも明らかになっています。図4-4は、2020年のOECDの“How's Life?”という報告書から、1週間あたりの「社会的交流時間」、つまり人と交流することを主な内容とした活動の時間を24カ国について示しています。図4-4の「社会的交流時間」には先の図4-3とは異なり、家族との交流も含んでいるのですが、それでも日本は24カ国中でとびぬけて

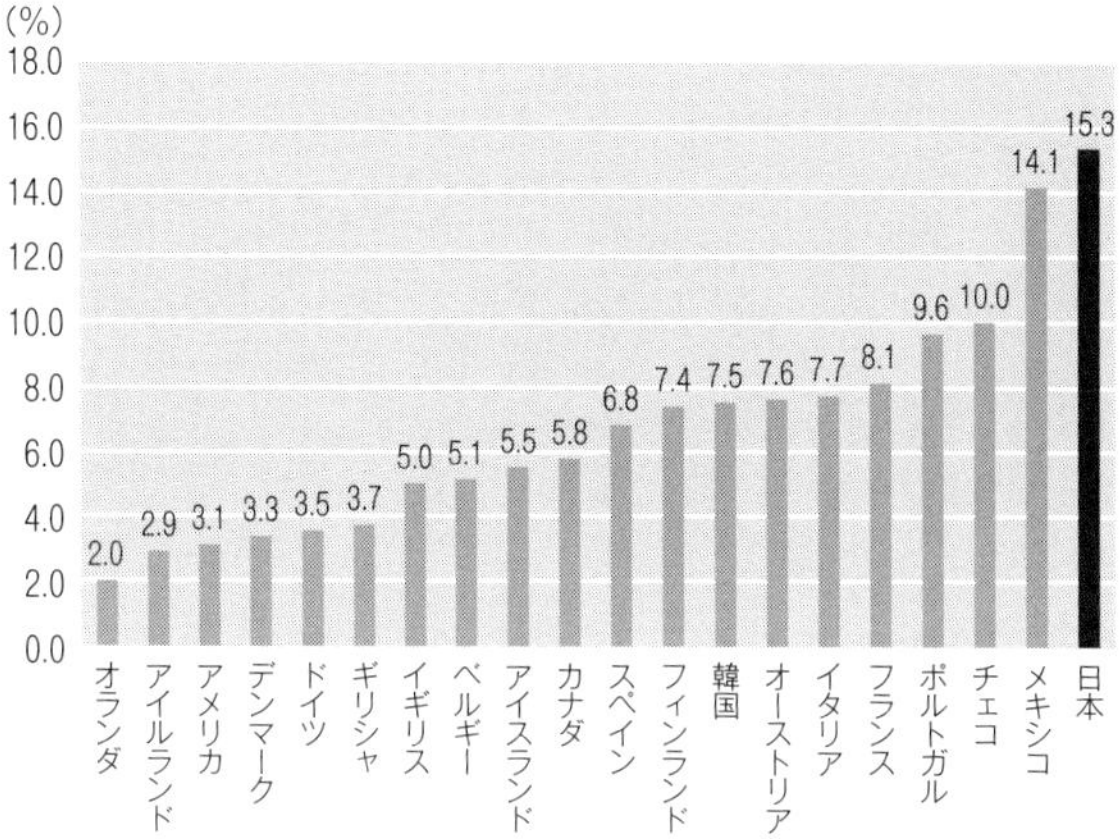

注：友人、職場の同僚、その他社会団体の人々（協会、スポーツクラブ、カルチャークラブなど）との交流が、「全くない」あるいは「ほとんどない」と回答した人の割合（合計）

出典：OECD, Society at Glance: 2005 edition, 2005, p8.

図 4-3 「家族以外の人」と交流のない人の割合（国際比較）

出典：第 1 回社会保障審議会生活困窮者の生活支援の在り方に関する特別部会資料 3-1、2012 年。

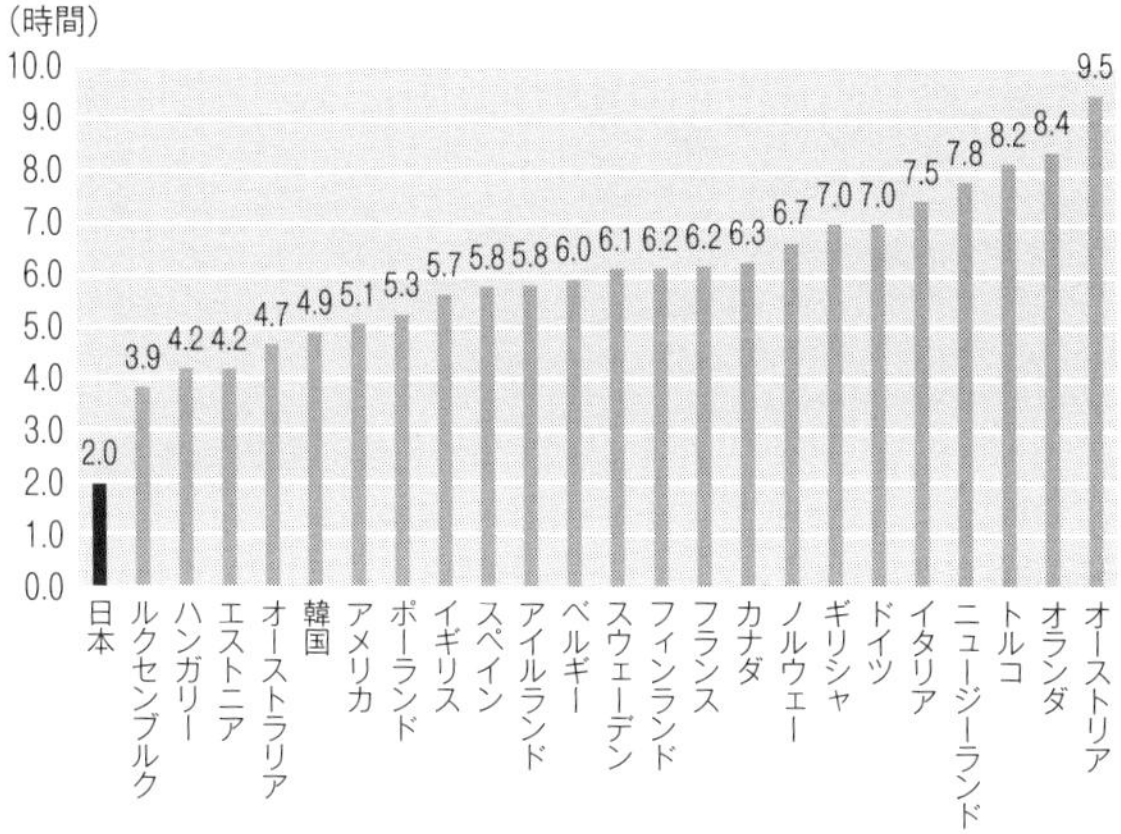

図 4-4 1 週間あたりの社会的交流時間

出典：OECD（2020）, How's Life? 2020: Measuring Well-being, Figure 11.3.

最下位で、1週間あたり平均2時間しか交流していません。

これらは国別のざっくりした集計ですが、どうも日本の幅広い年齢層をまとめてみた限りでは、「友だち」などとの交流は他国と比べて異常なほどに少ないと言わざるをえないようです。

どんな人に「友だち」が少ないのか

もう少し詳しく、国内の様々な層についても見てみましょう。図4-5は、すでに紹介したISSPという国際比較調査の日本のデータを用いた分析結果の一つで、悩み事を相談できるような友人が「いない」と答えた割合を、性別・年齢別に示しています。[59]
一見して明らかなのは、第一に、男性の方が女性よりも「いない」比率が高いこと、第二に、年齢層が高くなるほど男女とも「いない」比率が高いことです。この2つの傾向が相まって、70歳以上の男性では「いない」比率が半数を超えています。
高齢化が進む日本社会において、大きな人口的ボリュームを占める高齢層の、特に男性において、「友だち」と呼べるような他者との関係がきわめて稀薄です。そして、年

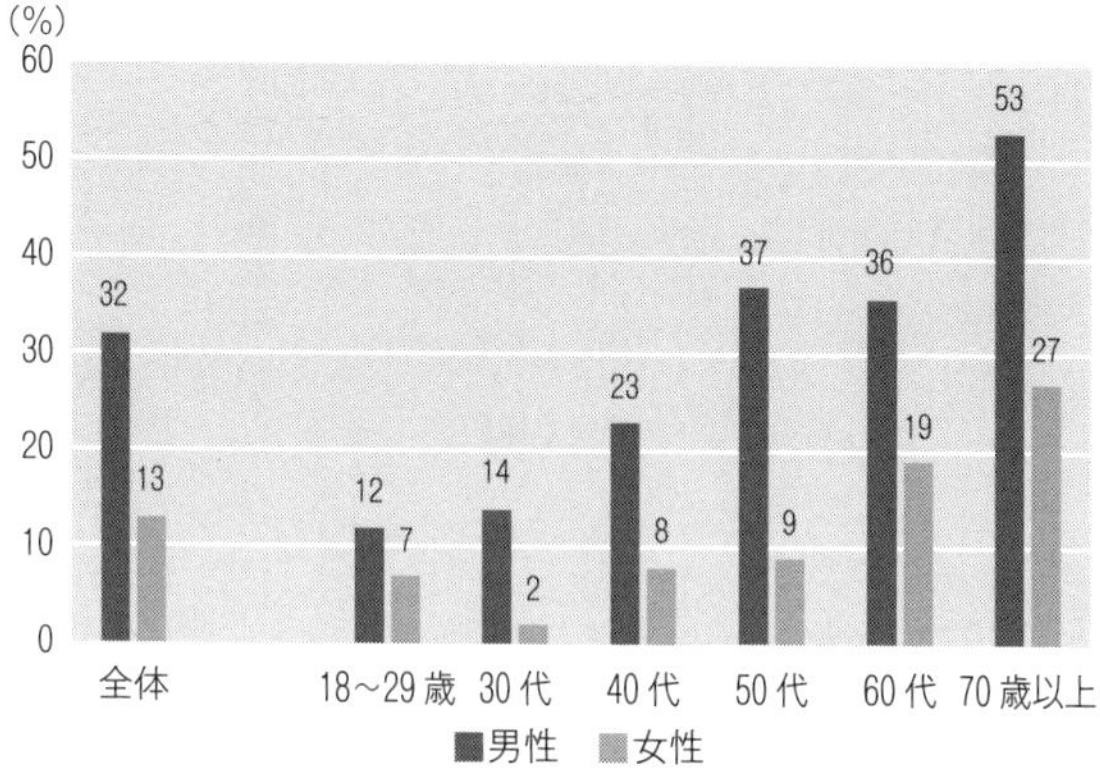

図4-5　性別・年齢層別　悩みごとを相談できるような友人が「いない」比率
出典：注59の文献、図4より筆者作成。

齢や性別以外の様々な要因まで含めて、どのような人が多くの「友だち」をもっているかを分析した結果からは、学歴や職業・収入などの条件が有利であればあるほど、「友だち」の数が多いことも確認されています。[60] さらに、多くの分析では、「友だち」の数が多いほど、孤立感が低く生活満足度や幸福感が高い傾向があることが、少なくとも統計的には確かめられています。[61]

これらのことからも、先述した通り、「友だち」というものが人間にとって一種の資源・資本となっており、それを多くもてるかどうかには格差があることがわかります。しかも、他国と比べてそうした資源が総じて少ない日本の「大人」たちは、人生において何か大事なものを手放してしまっているおそれがあると言えるかもしれません。

同性で固まる「ゆがみ」

日本の「友だち」関係の一種の「ゆがみ」は、他の側面にも見いだされます。表4-4は、内閣府が2020年に4カ国の60歳以上の男女を対象として実施した「第9回高齢者の生活と意識に関する国際比較調査」から、友人の有無だけでなく、友人がいる場合にその性別もたずねた結果です。

他の3カ国と比べて、日本では友人が「いない」比率が高いことはこれまで見てきたことと重なりますが、興味深いのは、友人が「いる」場合に、その友人が自分と同じ性別である割合が、目立って高いということです。他の3カ国では、「同性・異性の両方の友人がいる」と答えた比率が40〜60%を占めているのですが、日本ではその比率は10%前後にすぎません。これは60歳以上の高齢者についての結果ですので、他の年齢層についてどうかは即断できませんが、少なくとも高齢層については、男性は男性でかたま

		n	同性の友人がいる	異性の友人がいる	同性・異性の両方の友人がいる	いずれもいない	わからない	無回答
日本	60～64 歳	195	45.6	2.1	8.2	36.4	7.2	0.5
	65～69 歳	302	43.0	1.0	13.6	32.5	7.9	2.0
	70～74 歳	372	44.6	1.9	14.0	28.5	8.9	2.2
	75～79 歳	231	48.5	1.3	13.9	25.1	8.2	3.0
	80 歳以上	267	35.6	1.5	11.6	35.6	11.2	4.5
アメリカ	60～64 歳	189	29.1	3.7	53.4	12.7	1.1	—
	65～69 歳	229	28.4	4.8	55.0	11.8	—	—
	70～74 歳	209	32.1	3.3	45.5	17.7	1.4	—
	75～79 歳	174	27.0	2.3	56.9	12.1	1.7	—
	80 歳以上	205	31.7	4.4	43.4	16.6	3.9	—
ドイツ	60～64 歳	268	25.7	2.2	56.3	14.2	1.5	—
	65～69 歳	209	32.1	1.4	56.0	10.5	—	—
	70～74 歳	204	30.9	3.4	53.9	10.3	0.5	1.0
	75～79 歳	194	37.1	3.6	46.4	11.9	—	1.0
	80 歳以上	168	30.4	3.6	44.0	22.0	—	—
スウェーデン	60～64 歳	302	28.8	1.3	52.3	9.3	6.0	2.3
	65～69 歳	329	35.3	3.0	43.5	9.4	6.4	2.4
	70～74 歳	355	28.7	2.3	51.0	9.3	7.3	1.4
	75～79 歳	254	28.7	3.5	48.0	9.4	6.3	3.9
	80 歳以上	288	22.9	3.8	45.1	12.2	12.2	3.8

(%)

表 4-4　親しい友人の有無と性別

出典：「令和２年度　第９回高齢者の生活と意識に関する国際比較調査結果」図表 2-7-4-3。

り、女性は女性でかたまるという、性別による「友だち」関係の境界線が明瞭に存在します。

ジェンダーの章で述べたように【➡第２章】、日本では男性と女性の間の非対称性や分断が顕著ですが、それは「友だち」関係にも影響している面があります。もしかしたら理解し合える誰かを、自分とは異なる性別の中にも見つけられたかもしれないのに、その可能性を自ら狭めてしまっている、とても残念な状況が日本では観察されます。「友だち」の有無だけでなく、誰と誰とのどのような関係なのかにも注目する必要がある理由は、そこにあります。

「友だち」ではない他者にも冷酷な日本

性別を含め、自分と同じような相手とばかり「友だち」になっていては、広がる世界も広がりません。そしてそれは社会のあり方にも影響すると考えられます。本章のはじめにふれた「社会関係資本」という概念が、「誰と接点があるか」というネットワークについての指標だけでなく、「人は一般的に信頼できるか」といった、より抽象度の高い事柄まで含んでいるのは、人と人とのつながり方のグラデーション全体が重要であるという認識に基づいています。そして実際に、日本における「友だち」関係の希薄さや狭さは、「友だち」ではない幅広い人々との関係にも影を落としていることをうかがわせるデータがあります。

２０１５年にアメリカの世論調査会社であるGallup社が世界１４０カ国で実施した「Global Civic Engagement 調査」には、「過去1カ月の間に、助けを必要としている見知らぬ人を助けましたか？」という質問が含まれています。これに「はい」と答えた比率は、日本では25％で、調査対象国１４０カ国中１３９位でした。[62]

２０１８年に実施された同様の調査の結果を、イギリスのチャリティー組織 Charities Aid Foundation が公表していますが、それによれば日本の「はい」の比率は24％で、調査対象国１２５カ国中の最下位でした。[63] 人を助けない国、ジャパン！　と言われてしまっても仕方がない現実がここにはあります。

もう少し他のデータも見てみましょう。図４－６と図４－７は、ISSP2017 の公開データを用いて、それぞれ「他人と接するときには、相手の人を信頼してよいと思いますか。それとも、用心したほうがよいと思いますか」という質問と、「暮らし向きの良い人は、経済的に苦しい友人を助けるべきだ」という項目をどう思うかたずねた質問について、調査対象30カ国の国別の回答分布を示しています。前者は「社会関係資本」の一側面ともされる、いわゆる「一般的信頼」についての質問、後者は異なる経済階層の友人への支援についての質問です。

図４－６では、日本は「いつでも信頼してよい」と「たいてい信頼してよい」を合わ

せた比率については24位で、最下位ではありませんがかなり下位にあり、また「いつでも」だけの比率は0・8％と完全に最下位です。日本では友人関係のみならず、それを超えた全般的な他者への信頼も、相当にあやうい状況にあります。

図4－7は、「そう思う」単独でも、「どちらかといえば、そう思う」と合わせた比率でも、やはり他国を引き離して最下位です。ここでの質問の言葉遣いは「経済的に苦しい友人」となっており、友人という範囲内に限定した問い方をしています。「友だち」が経済的に困っていても助けないのであれば、見知らぬ誰かが困窮していても助ける気になどならないでしょう。

このような様々なデータからは、日本の社会が他国と比べて、人への冷淡さや不信が強い国であることがわかります。日本の中では「絆」とか「団結」とかが称賛されることがしばしばありますが、社会の実態はそれらとはほど遠く、ばらばらに切り離され相互に警戒し合うような関係のほうが、広がってしまっていると言えます。

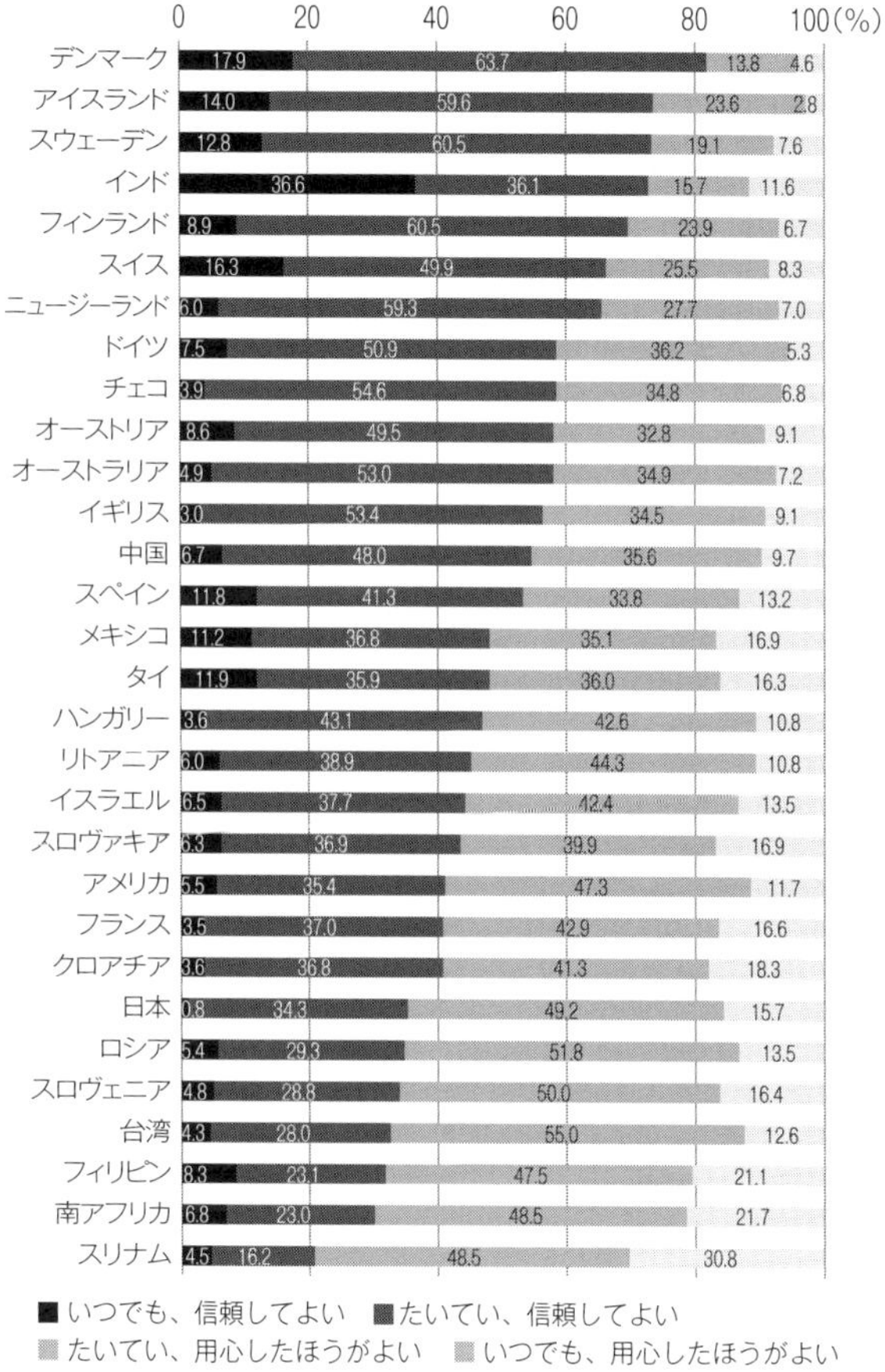

図 4-6　人は信頼できるか

データ出所：ISSP2017 を用いて筆者作成。

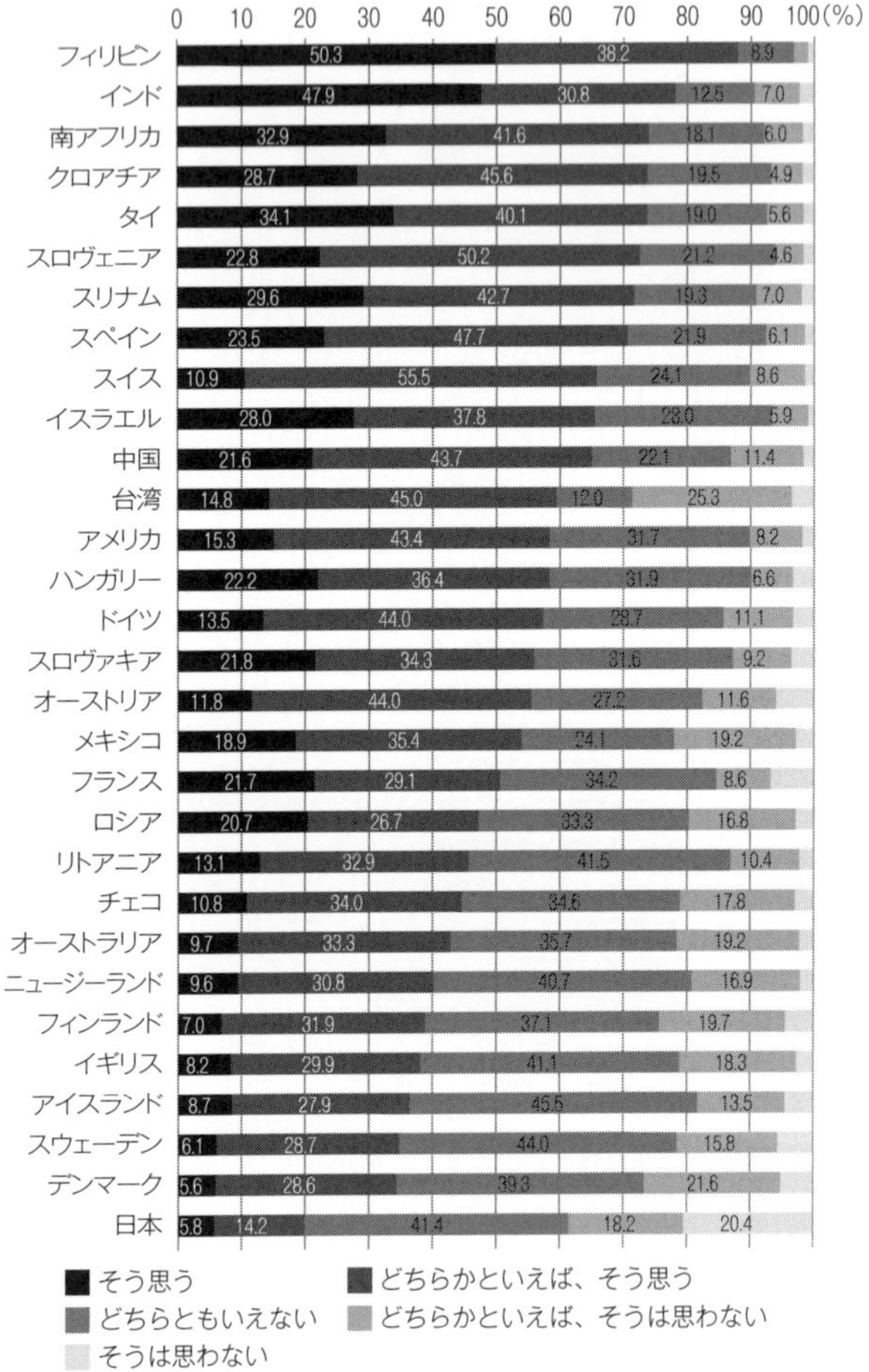

図 4-7 「暮らし向きの良い人は、経済的に苦しい友人を助けるべきだ」への賛否
データ出所：ISSP2017 を用いて筆者作成。

「友だち」問題は社会の問題

本章では、「友だち」に関する日本の特徴を見てきました。国際比較などからあぶり出されたのは、日本における「友だち」の少なさや格差、それらが人生のあとになるほど著しくなること、「友だち」が同質的な相手に限られがちであること、そして「友だち」以外のより広い他者との関係も稀薄であることなどです。

こうした実情に照らせば、冒頭で触れた「孤独・孤立」への対策は、やはり必要なのかもしれません。しかし、人間関係の本質的な難しさを直視せず、また人々の分断をもたらしている社会構造的な要因に手を付けないままで、対症療法的に人々を何らかの関係に埋め込もうとすることは、無理だったり無効だったりするおそれがあります。

日本における人間関係についての様々な問題は、学校における選別や排除の強さ【➡第3章「学校」】、労働時間の長さや正社員と非正社員の格差【➡第5章「経済・仕事」】、ジェンダー間の不平等【➡第2章「ジェンダー」】、地域社会の同調圧力や権威主義、社会保障の手薄さなど、本書の他の章でも論じている、この社会の特質と結びつけて考える必要があります。おそらく、もっとも重要な原因の一つは、若いころは学校に、大人の男性は会社に、大人の女性は家庭に、それぞれ囲い込まれた生活を送りがちな社会体制ができあがってしまっていること、もう一つは、日本の経済が低迷する中で、多くの人の暮らしが厳しくなっているのに、与党政治家や経営者が「自助」や「自己責任」で生きろと強調しがちであることです。

「友だち」っていいね、「絆」はすばらしいね。アニメでも映画でも、そうしたメッセージがきらきらと発せられていますが、実態はそれとは大きなギャップがあります。もしあなたが、アニメとは全然違う、「友だち」との関係や孤独の現実に直面していたとしても、それはあなただけの問題ではないですし、無責任に「友だち」を理想化し関係性に埋め込もうとする圧力のほうが、ずっと危険かもしれないのです。

ちょっと話す、ちょっと笑う、互いに傷つけない関係が少しあるだけで十分な人もいるでしょう。自分と全然ちがう属性や境遇の人の存在に触れてみるだけでもよいかもしれません。型にはまらない、いろいろな関係が可能な社会にするにはどうすればいいか、この難題について、あなたも考えてみてくれるとうれしいです。

第5章　経済・仕事

かつては「すごかった」日本の経済と企業

いまの日本の若い人たちにとって、日本の経済や企業のあり方は、どのようなイメージで捉えられているのでしょう。「世界の真ん中で輝く日本」だと思っているのか、それとも、見る影もなく落ちぶれてしまった日本だと思っているのか。もし前者だと思っているなら、それは半世紀近く昔の日本のイメージの亡霊、残滓《ざんし》だといえます。

駆け足で過去を振り返ってみましょう。1945年に戦争に敗けてぼろぼろになった日本は、その後、特に1960年代に、いわゆる「高度経済成長」を遂げました。1964年には東京オリンピック、1970年には大阪万国博覧会が開催されて、世界に対しても「奇跡的な発展」という印象を強く与えました。1970年代初めのオイルショックで石油価格の高騰により、多くの先進諸国の経済が打撃を受けて失業者も増えていたときも、日本は比較的すばやく持ち直して、高度経済成長期よりは下がったものの一定の経済成長率を維持し、失業者数も政府の抑制策によって他国よりは低い水準にとどまっていました（図5-1）。この70年代半ばから90年頃までは、「安定成長期」と呼ばれます。

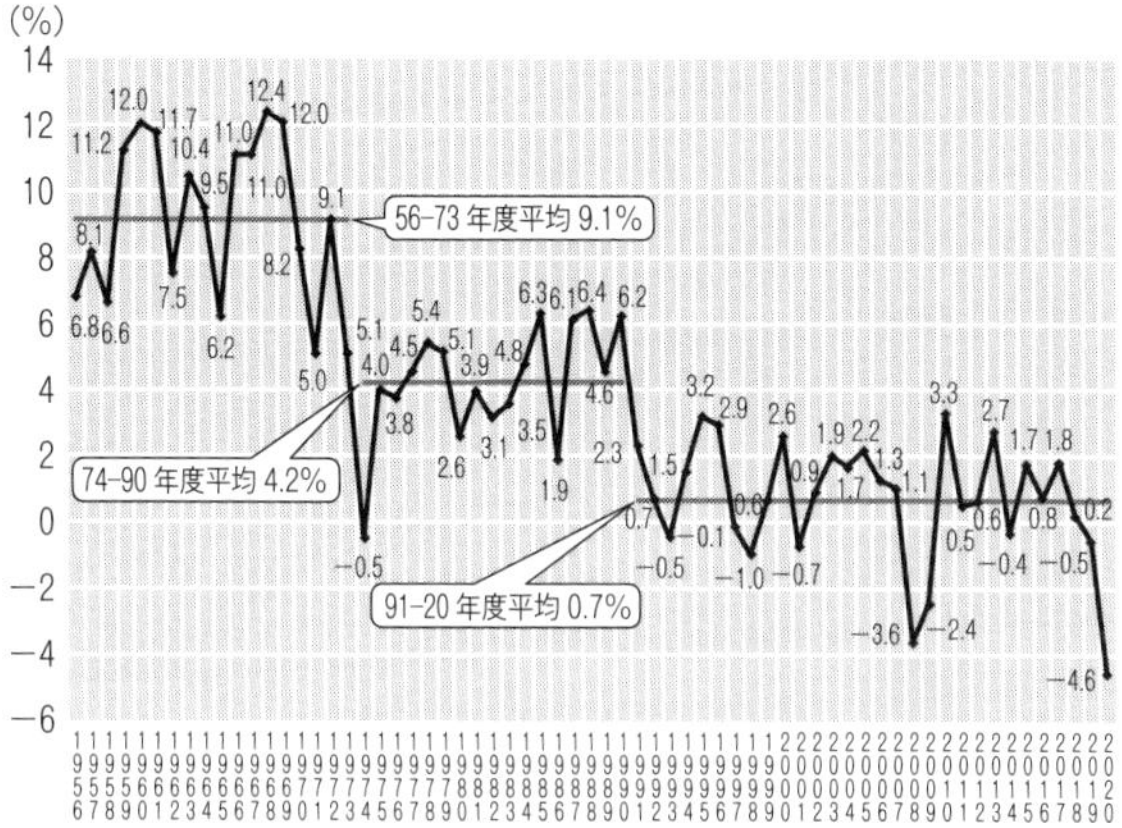

注：年度ベース。複数年度平均は各年度数値の単純平均。1980 年度以前は「平成 12 年版国民経済計算年報」(63SNA ベース)、1981〜 94 年度は年報（平成 21 年度確報、93SNA）による。それ以降は 2008SNA に移行。2021 年 1-3 月期 2 次速報値〈2021 年 6 月 8 日公表〉
資料：内閣府 SNA サイト

図 5-1　経済成長率の長期推移
出典：社会実情データ図録、図録 4400。

この時期の1979年に、アメリカの社会学者エズラ・ヴォーゲルが書いた『ジャパン・アズ・ナンバーワン』という本は、ただちに翻訳されて日本でも出版され、ベストセラーになりました。その日本語版への序文には、「日本は、世界で最も強力な工業力を有していると、私は判断している」と書かれています。そして、日本企業の「近代的設備と高い生産性」、日本人の旺盛な知識欲、企業の社員の忠誠心や勤勉さなどが大絶賛されています。この本の目的は当時のアメリカを叱咤《しった》激励《げきれい》することにありましたから、やや過剰に日本を持ち上げている感はありますが、それでも、そこに一定の説得力や信憑性《しんぴょうせい》があったからこそ、日本国内でひろく読まれたのでしょう。この本だけでなく、1980年代に入っても、日本企業の独特な生産方式や雇用管理は海外からの注目を集めており、「日本に学べ」という趣旨の研究や指摘がたくさんなされていたのです。[64]

そうした国外からの高い評価は、当然に日本国内においても、経済や企業への自画自賛につながっていました。1990年度の『経済白書』にも、以下のような記述があります。「我が国経済のパフォーマンスの背後には企業の柔軟な対応力があり、その背景にはそれを可能とする技術面での対応力、さらにこうした技術的対応力を生み出すメカニズムを我が国経済が持ち続けているといった見方もできよう」（第2章）。

今はすごくない日本の経済と企業

このように、1970年代後半から90年頃にかけての「安定成長期」の日本経済は、確かに「スゴイね」という自他の評価を勝ち得ていました。しかし、もう一度、図

5-1を見てもらえば、その後の日本経済の雲行きがあやしいことは、すぐにわかっていただけると思います。「高度経済成長期」の年平均経済成長率は9・1%、「安定成長期」のそれは4・2%でしたが、その後の90年代以降は多少の上下動はあっても平均すれば0・7%にすぎません。

もう少し具体的な形で、日本経済の凋落《ちょうらく》をお見せしたほうがわかりやすいかもしれません。表5-1は、1989年（昭和64年＝平成元年）と2019年（平成31年＝令和元年）の2時点について、世界の企業の「時価総額」のランキングトップ50社を示しています[65]。時価総額とは、その企業が発行済みの株式の総数とその価格を掛け算したもので、その企業がどれくらい巨大で、かつ高い価値をもつと株式市場で評価されているかを意味します。灰色の部分が日本企業です。

一見して明らかなように、バブル経済崩壊前の1989年には、日本の企業がトップ50社のうち32社までを占めていました。残りは大半がアメリカ企業で、3社だけイギリス企業が含まれています。この頃はバブル景気で国内の株式や不動産の価格がきわめて高くなっていた時期であるという要素は考慮しなければならないとしても、この頃の日本企業の国際的な存在感の大きさは思い描いていただけるでしょう。

　ところが２０１９年時点では、トップ50社の中に日本企業はトヨタ自動車1社しか含まれていません。そして、中国、韓国、台湾などのアジア企業と、いくつかのヨーロッパ諸国の企業が台頭してきていることがわかります。最上位はアップル、マイクロソフト、アマゾンといった、情報通信関係のアメリカ企業です。日本の元号が「平成」であった30年の間に、世界全体の経済構造が大きく変化し、それに日本がついていけなかったことがわかります。

　しつこいようですが、もう少し国際ランキングを見てみます。図5－2は、ＩＭＤというスイスのシンクタンクが長年にわたって発表している各国の競争力ランキングにおける、日本の総合順位の推移を示しています。[66] この競争力ランキングは、【経済的業績】、【政府の効率性】、【ビジネスの効率性】、【社会基盤】という4つのカテゴリーにそれぞれ5つずつの指標を設定し、さらに細分化すれば合計３３２個におよぶ、客観的データおよびアンケート調査結果に基づいた指標を用いて計算されています。使われている指標や計算の仕方については議論の余地があるでしょうが、長期的に継続されていること

世界時価総額ランキング（平成元年）

順位	企業名	時価総額（億ドル）	国名
1	NTT	1638.6	日本
2	日本興業銀行	715.9	日本
3	住友銀行	695.9	日本
4	富士銀行	670.8	日本
5	第一勧業銀行	660.9	日本
6	IBM	646.5	米
7	三菱銀行	592.7	日本
8	エクソン	549.2	米
9	東京電力	544.6	日本
10	ロイヤルダッチ・シェル	543.6	英
11	トヨタ自動車	541.7	日本
12	GE	493.6	米
13	三和銀行	492.9	日本
14	野村証券	444.4	日本
15	新日本製鐵	414.8	日本
16	AT&T	381.2	米
17	日立製作所	358.2	日本
18	松下電器	357	日本
19	フィリップ・モリス	321.4	米
20	東芝	309.1	日本
21	関西電力	308.9	日本
22	日本長期信用銀行	308.5	日本
23	東海銀行	305.4	日本
24	三井銀行	296.9	日本
25	メルク	275.2	米
26	日産自動車	269.8	日本
27	三菱重工業	266.5	日本
28	デュポン	260.8	米
29	GM	252.5	米
30	三菱信託銀行	246.7	日本
31	BT	242.9	英
32	ベル・サウス	241.7	米
33	BP	241.5	英
34	フォード・モーター	239.3	米
35	アモコ	229.3	米
36	東京銀行	224.6	日本
37	中部電力	219.7	日本
38	住友信託銀行	218.7	日本
39	コカ・コーラ	215	米
40	ウォールマート	214.9	米
41	三菱地所	214.5	日本
42	川崎製鉄	213	日本
43	モービル	211.5	米
44	東京ガス	211.3	日本
45	東京海上火災保険	209.1	日本
46	NHK	201.5	日本
47	アルコ	196.3	米
48	日本電気	196.1	日本
49	大和証券	191.1	日本
50	旭硝子	190.5	日本

世界時価総額ランキング（平成 31 年 4 月）

順位	企業名	時価総額（億ドル）	国名
1	アップル	9644.2	米
2	マイクロソフト	9495.1	米
3	アマゾン・ドット・コム	9286.6	米
4	アルファベット	8115.3	米
5	ロイヤル・ダッチ・シェル	5368.5	オランダ
6	バークシャー・ハサウェイ	5150.1	米
7	アリババ・グループ・ホールディングス	4805.4	中
8	テンセント・ホールディングス	4755.1	中
9	フェイスブック	4360.8	米
10	JP モルガン・チェース	3685.2	米
11	ジョンソン&ジョンソン	3670.1	米
12	エクソン・モービル	3509.2	米
13	中国工商銀行	2991.1	中
14	ウォルマート・ストアズ	2937.7	米
15	ネスレ	2903	スイス
16	バンク・オブ・アメリカ	2896.5	米
17	ビザ	2807.3	米
18	P&G	2651.9	米
19	インテル	2646.1	米
20	シスコ・システムズ	2480.1	米
21	マスターカード	2465.1	米
22	ベライゾン・コミュニケーションズ	2410.7	米
23	ウォルト・ディズニー	2367.1	米
24	サムスン電子	2359.3	韓国
25	台湾・セミコンダクター・マニュファクチャリング	2341.5	台湾
26	AT&T	2338.7	米
27	シェブロン	2322.1	米
28	中国平安保険	2293.4	中
29	ホーム・デポ	2258.2	米
30	中国建設銀行	2255.1	中
31	ロシュ・ホールディングス	2242.9	スイス
32	ユナイテッドヘルス・グループ	2179.2	米
33	ファイザー	2164.1	米
34	ウェルズ・ファーゴ	2132.3	米
35	ボーイング	2117.8	米
36	コカ・コーラ	2026.4	米
37	ユニオン・パシフィック	1976.4	米
38	チャイナ・モバイル	1963.6	中
39	中国農業銀行	1935	中
40	メルク	1897.5	ドイツ
41	コムキャスト	1896.9	米
42	オラクル	1866.7	米
43	トヨタ自動車	1787.6	日本
44	ペプシコ	1772.5	米
45	LVMH モエ・ヘネシー・ルイ・ヴィトン	1762.8	フランス
46	アンハイザー・ブッシュ・インベブ	1753	ベルギー
47	HSBC ホールディングス	1749.2	イギリス
48	ノバルティス	1742.6	スイス
49	フォメント・エコノミー・メヒカノ	1713.4	メキシコ
50	ネットフリックス	1647.5	米

表 5-1　世界時価総額ランキング（1989 年と 2019 年）

出所：注 65 の記事。

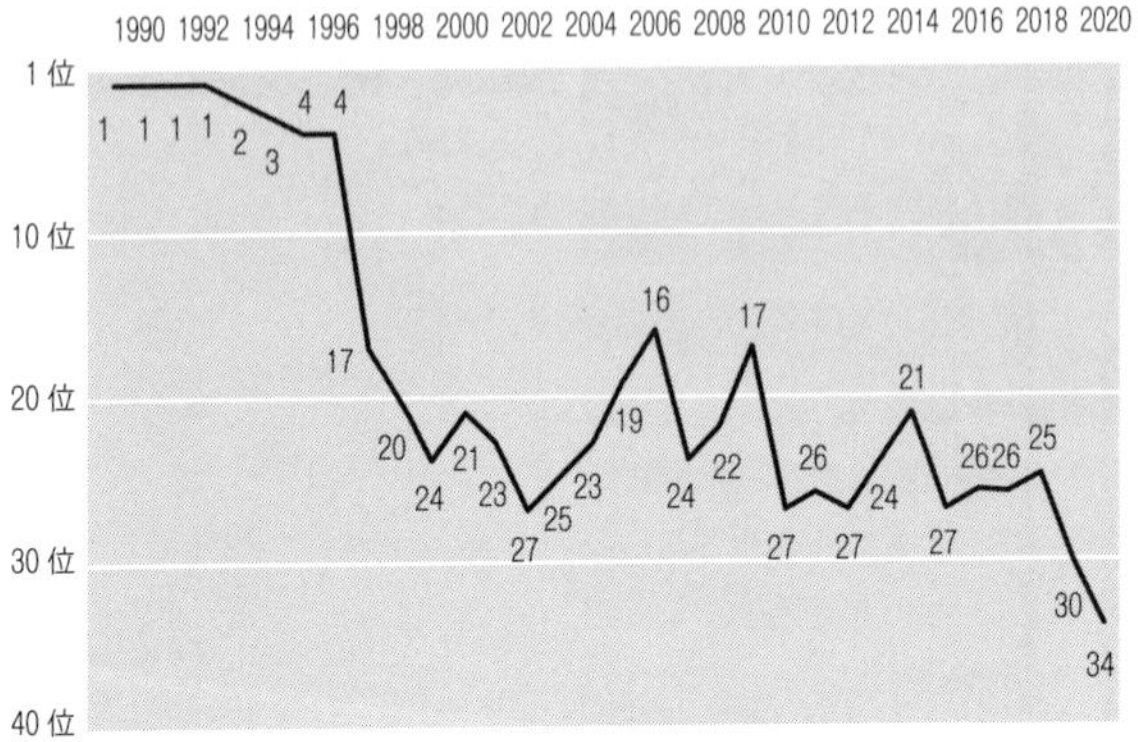

図5-2　競争力ランキングにおける日本の順位の推移
出典：注66の記事、図1。

から、変化を見るには役立ちます。

図5－2を見ても、特に1990年代半ば以降の日本の低下は著しく、その後も変動はありますが大きく持ち直してはいません。

このように、いろいろな角度や指標で見ても一致して、日本経済が90年代以降に勢いを失っていることは否定できないのです。もうスゴくない日本経済、この現実をまず受け止める必要があります。

なぜこうなってしまったのか

なぜ日本の経済や企業はスゴくなくなってしまったのか。これについては経済学者や経営学者をはじめ、議論が百出していますが、その中

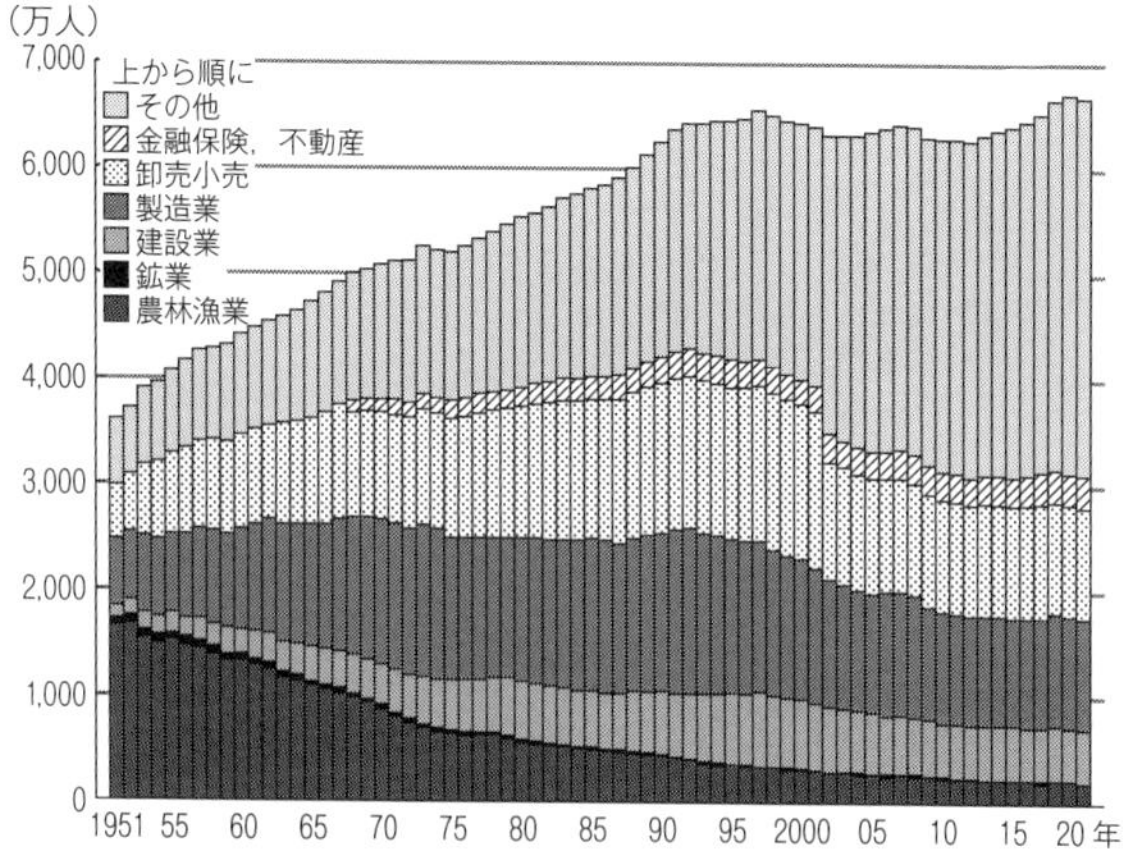

図 5-3　産業別就業者数の推移（主要産業大分類）（1951〜2020年、年平均）
出典：注 67 のサイト、図 4-2。

で私自身が重要と考える事柄について述べましょう。

第一に指摘しておくべきは、特に1990年代以降、日本国内の産業の構成が大きく変化してきたことです。図5－3は、主要な産業別の就業者数の推移を示していますが、特に90年代半ばから今世紀にかけて、この図では「その他」という名前になっている、サービス業の従業者が明確に増え、代わりに製造業の就業者数はじりじりと減ってきていることがわかります。サービス業の中身は多様ですが、近年特に拡大しているのは「医療・福祉」および雑多な「他に分類されないサービス業」です。[67] このような、製造業からサービス業へ、言い換えれば第二次産業から第三次産業への重心の移動は、多くの先進諸国で見られる現象です。しかし日本では、サービス業もしくは第三次産業に含まれる多様な業種・職種の中で、販売や対人サービスといった、高い収益につながりにくい仕事に従事している人が、他の先進国よりも大きな割合を占めています。

そして、日本がかつて「スゴイ」と言われていたのは、主に製造業でした。日本の製造業の労働生産性（労働者1人あたりが生み出せる価値のこと）は、この間もかなり堅調に推移していて、それほど低下していません。しかし、他国の製造業の労働生産性の伸びが急激であるため、順位で見れば日本は低下しています。それ以上に重要なのが、日本のサービス業は労働生産性が低いだけでなく、さらに時期があとになるほど低下する傾向が見られるということです。つまり、効率が悪く賃金が相対的に低いサービス業が、国内経済において拡大しているということが、日本経済全体のパフォーマンスを引き下げています。

これと密接に関連する第二の点が、非正規雇用（いわゆる正社員ではない働き方。日本では雇用が期限付きであったり、勤務時間が短かったり、賃金が低かったりする場合が多い）の拡大です。特に90年代以降、「パート」、「アルバイト」、「非常勤職員」など様々な呼ばれ方をする非正規雇用が増加しました。このような多様な非正規雇用と正社員との間で、賃金などの労働条件の格差が他国と比べても大きいことが日本の特徴です。

景気が低迷していたこと、そもそも非正規雇用の人を多く雇う傾向があるサービス業が増えたことなどの理由から、賃金が正社員よりも安く期限つきの雇用で「切る」こともやりやすい非正規雇用を、企業は最大限に「活用」し始めます。90年代から今世紀初めにかけて、高校や大学を卒業した時点で正社員の求人が少なすぎたために、仕方なく非正規雇用で働かざるをえなかった「就職氷河期世代」の人たちも、ここには含まれています。非正規雇用は男性でも増えてきていますが、増え方は女性のほうがずっと顕著です。今世紀に入ると、女性の中では正社員よりも非正規雇用で働く人の数が上回っているのです（図5-4）。

こうして、不当に賃金が安く、使い捨てることができる労働力としての非正規雇用に依存しながら「その場しのぎ」的な業務の維持を続けてきたために、日本企業は設備投

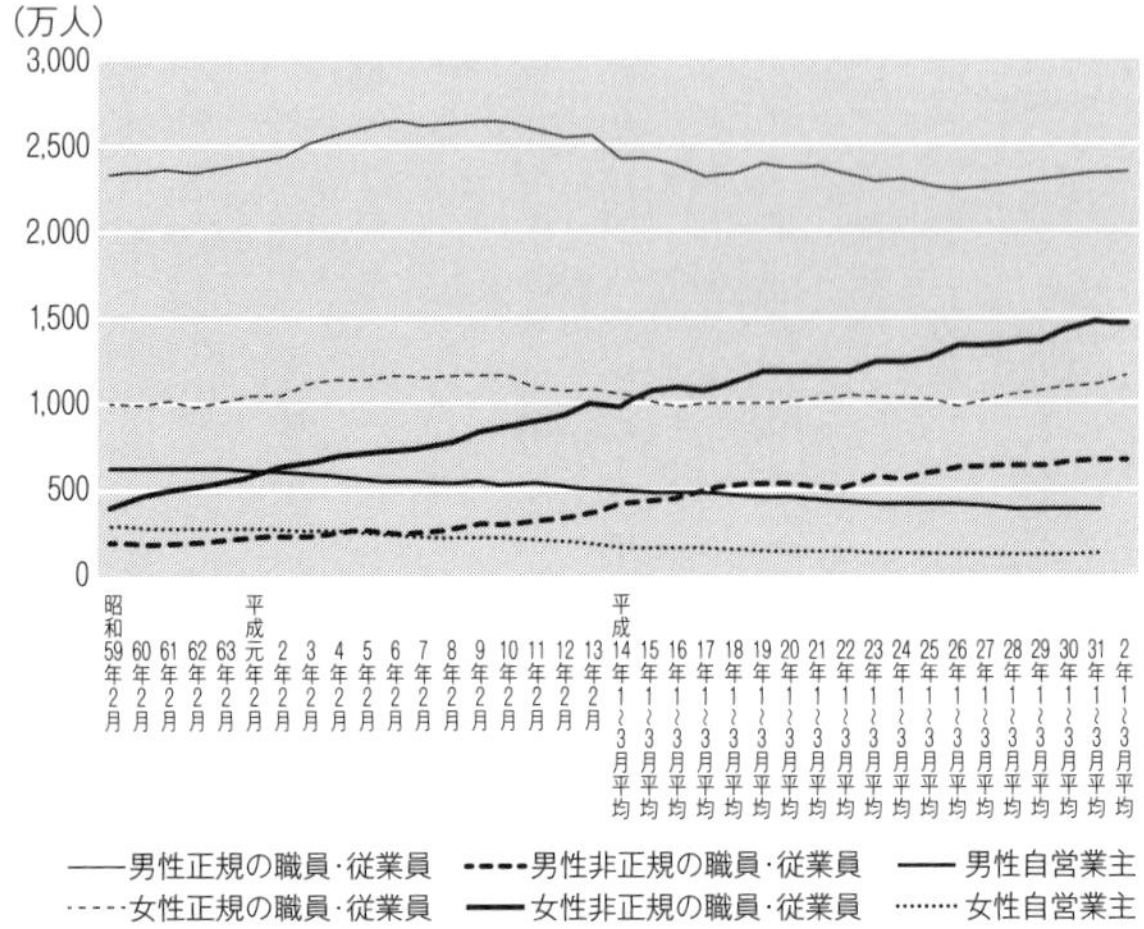

図5-4　性別・雇用形態別　雇用者数の推移

データ出所：労働力調査より筆者作成。

資やIT化などの技術革新に遅れをとり、結局は活力を失ってきました。

これら第一・第二の点とも密接に絡み合っているのが、変革への積極性や柔軟性を失って沈滞した考え方や行動様式が経済界の中に広がってしまっているという、第三の重要な要因です。

先ほど図5－2で総合順位の推移を示した競争力ランキングについて、日本の4種類の指標の順位を2020年について見ると、【経済的業績】は11位、【政府の効率性】は41位、【ビジネスの効率性】は55位、【社会基盤】は21位で、特に【ビジネスの効率性】の順位

指標番号	内容	順位
3.4.09	ビジネス界で管理職の起業家精神は高い	63
3.4.01	企業は機敏だ	63
3.4.03	企業は機会や危機に対してすばやく反応することができる	63
3.2.23	上級管理職については国際経験が総じて重視されている	63
3.4.07	企業は意思決定に際してビッグデータやその分析をうまく活用できている	63
3.5.04	新しい課題に直面したとき、人々の柔軟性や適応力は高い	62
3.1.08	国際基準に照らして大企業は効率的である	62
3.5.03	国内の文化は海外のアイデアを受け入れる姿勢がある	62
3.2.24	優秀な上級管理職人材が豊富に存在する	61
3.5.06	企業のデジタル化が総じて良好に進展している	61

表 5-2　競争力ランキング【ビジネスの効率性】において日本の順位が低い項目（63 カ国中）
データ出所：注 68 の文献より筆者作成。

が目立って低く、しかも近年の低下傾向がはっきりしています。[68]

ではその【ビジネスの効率性】を悪くしている、より具体的な事項は何でしょうか。この指標について、国際順位が低い10項目を抜き出したものが表5－2です。[69]日本企業は、管理職の起業家精神や国際経験が低調で、企業全体としても機敏さに欠け、ビッグデータを使いこなすこともできず、効率的でなくデジタル化の進展も遅れており、管理職以外の一般の人々についても柔軟性や海外の考え方を受け入れる姿勢に欠けている……。まあ、そういうことです。

このような企業の沈滞には、日本全体の少子高齢化により、働き手全体、特に意思決定を握っている経営層が、総じて高齢化していることも関係していると考えられます。帝国データバンクの「全国社長年齢分析」が約95万社の社長の平均年齢を分析した結果によれば、1990年時点では社長は平均54・0歳でしたが、2019年には59・9歳まで上昇しています。業種別では製造業や不動産業で61歳を超え、また年商規模がもっとも小さい1億円未満と巨大な500億円以上という両極で年齢が高くなっています。[70]このように経営者が高齢化していれば、デジタル化や国際化など、新しい急激な世界の変化に日本企業がついていけなくなるのも無理はないでしょう。

これら以外にも要因はいろいろあると思います。でも日本の衰退は、このように相互に絡み合った長期的な変動から生じてきたということは間違いありません。

いろいろおかしな日本の働き方・働かせ方

こうした変化の果てに、日本の働き方は、衰退以前からあった独特さに、衰退がもた

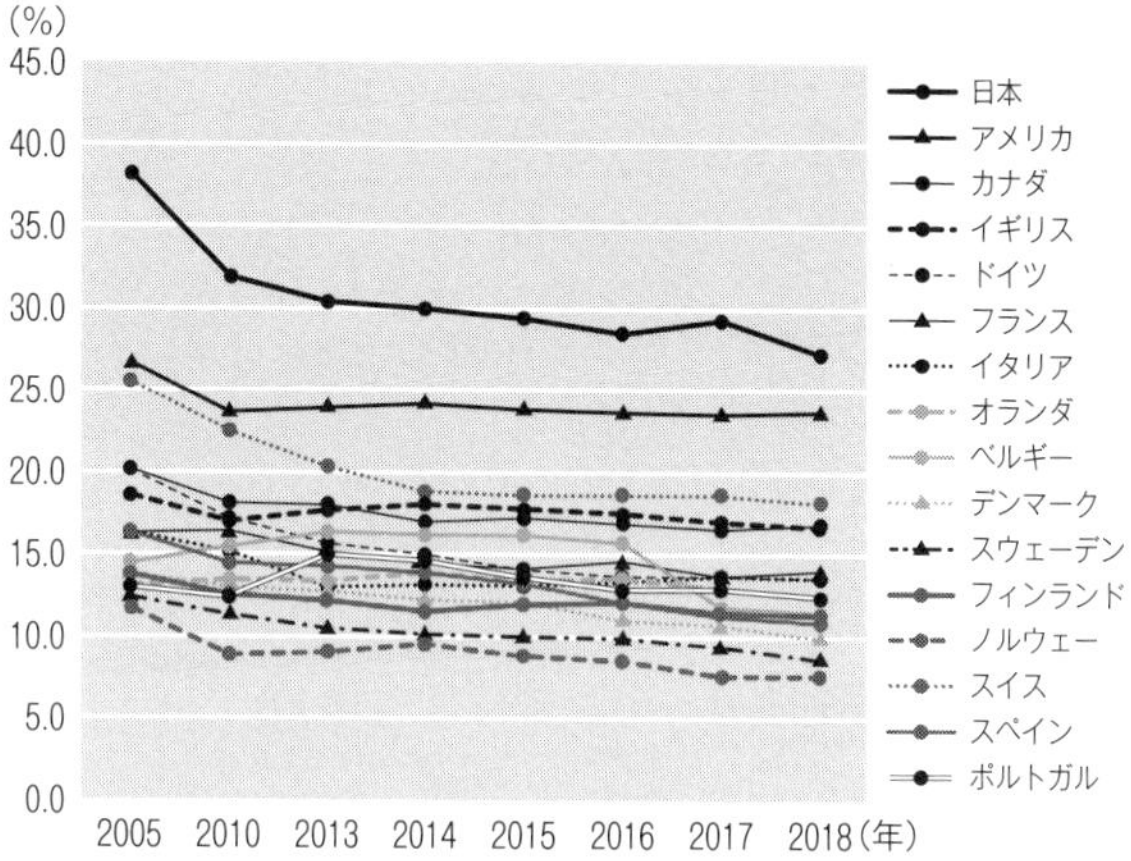

注：週49時間以上働いている者を「長時間労働」とする。

図5-5　長時間労働の割合（男性就業者）

データ出所：注71のサイト、表6-3から筆者作成。

らした諸問題が加わることによって、「世界標準」から見れば異様ともいえるような側面が多々見いだされるようになっています。

たとえばその1つが、長時間労働です。図5－5は、各国の男性の全就業者の中で、週あたり49時間以上働いている人の比率の推移を示しています[71]。日本はやや減ってきているとはいえ、図にある国々の中では飛びぬけて高い比率が続いています。対象国をより広げれば、メキシコ、韓国、インドネシアなど、その比率が日本よりも高い国もあります。ただ、これらは経済発展が始まるのが遅かったり、今なお発展がうまくいっていなかったりする、いわゆる後発国です。日本は先進諸国の一員であるかのようにふるまっていますが、労働時間の長さに関しては、後発国的な特徴を引きずり続けていると言えます。

他の特徴として指摘できるのは、先ほども触れたように、正社員（フルタイム雇用）と比べたときの非正社員（パートタイム雇用）の賃金水準の低さです。2014年時点で、フルタイム雇用の時間あたり賃金を100としたときのパートタイム雇用の賃金は、日本では56・6ですが、イギリス、ドイツ、オランダでは70強、フランス、デンマーク、スウェーデンでは80前後かそれ以上であり、日本では正社員と非正社員の間の賃金格差が著しいのです。[72]

他にも、勤続年数が長くなるほど賃金が上がっていく度合いの大きさ（ただし近年では日本でもこの度合いがやや弱まっていますが）、転職の少なさ、企業規模間の賃金格差の大きさ、そして教育機関を卒業する以前に就職先が決まっている割合――これはいわゆる「新卒一括採用」の普及度を意味します――の大きさ、職場でスキルを活かせている度合いの低さ、正社員の中での男女間賃金格差の大きさ、管理職の女性比率の低さ

第2章「ジェンダー」】などなど、日本の働き方・働かせ方の特徴は枚挙にいとまがありません。これらはいずれも根拠となる国際比較データがありますが、すべてをこの本に収録するには紙幅が足りませんので、どうかみなさんご自身でインターネットを検索してみてください。

　このような日本の特徴をひとことに集約した言葉として、最近、「メンバーシップ型雇用」という表現が頻繁に使われるようになっています。これは、労働法学者の濱口桂《けい》一郎《いちろう》さんが提唱し始めた言葉で、日本企業の正社員は職務や労働時間や勤務場所が雇用契約で明確に限定されておらず、企業の命令により無限定に変更されてしまうという、世界の中でも特異な働き方をしているということを意味しています。[73] つまり、日本で正社員になるということは、企業という共同体の「メンバー」に入れてもらって、溶け込むように働くことを意味するのです。

　これと対比される「世界標準」的な働き方が「ジョブ型雇用」です。これは、職務内容や勤務条件が具体的に雇用契約の中に含まれており、それに即して仕事をすることが前提の働き方です。つまり、仕事として何をどれだけすればいいかとか、勤務地などが、かなりはっきり決まっていて、会社の都合によってころころ変えられることが少ない働き方です。もちろん、企業の中で社員が昇進したり、自分の希望により部署や仕事を変えたりすることはありますが、その場合には改めて企業と契約を結び直すのです。「ジョブ型」の場合には、企業という共同体に属していても、溶けて混じりあってしまうのでなく、個々の社員の職務の輪郭が明瞭なのです。

日本企業で「メンバー」であることは、その共同体の中で長く過ごし続けること、そして雇う側からの無限定な指示を受け入れることが前提ですから、その期待に応《こた》えて無限定に会社に貢献した者、貢献できる者ほど、賃金や昇進などで優遇されます。でもその期待を満たしにくい、満たす必要がないと企業からみなされる者に対しては、活躍のチャンスも賃金も雇用の安定性も与えない、容赦のない処遇をするのです。たとえば典型的には、出産や育児の時期には仕事だけに力を注ぐことができないだろうとみなされている女性や、そもそも一時的に働かせるために雇用している非正規労働者などが、そのターゲットになりがちです。このように、先に述べた長時間労働などの日本の働き方の諸特徴は、「メンバーシップ型」の正社員というキーワードによって、確かにほとん

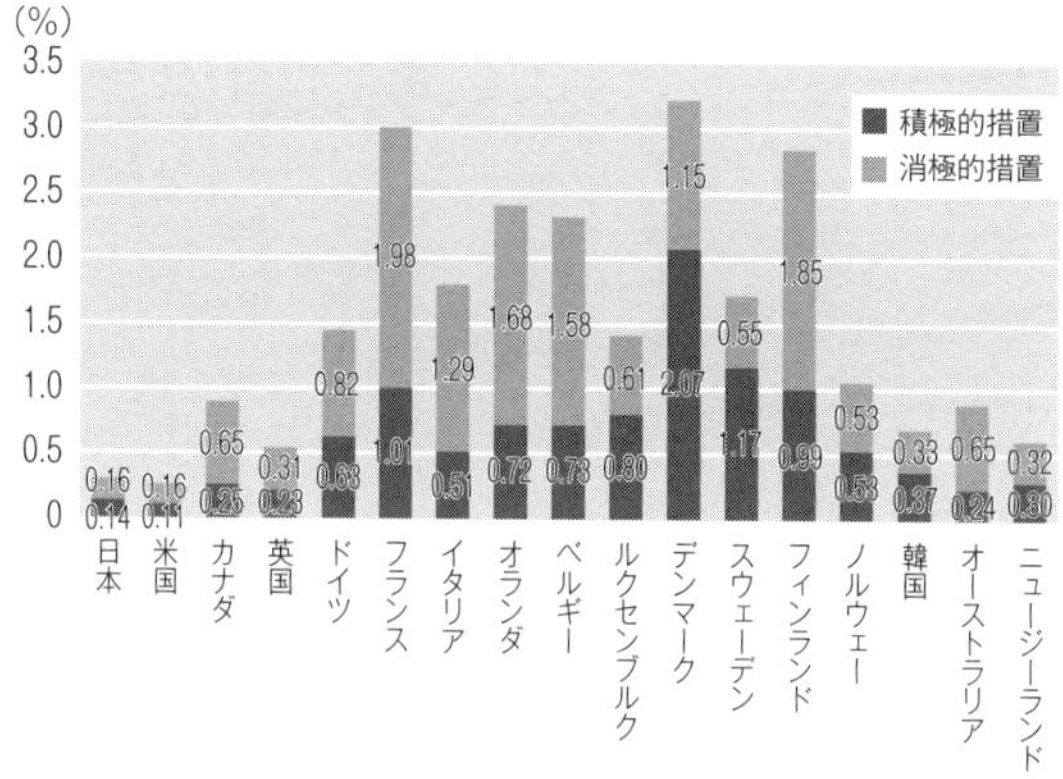

図 5-6　GDP に占める労働市場政策への公的支出（2016 年）
出典：注 74 の記事、図 2。

ど説明できてしまうのです。

日本でこのような「メンバーシップ型」の正社員が普及したことには、政府も加担していました。世帯の主な働き手（多くの場合は夫であり父である男性）を企業組織に抱え込んでもらい、賃金などを長期にわたって保障してもらえれば、政府が本来責任を担うべき福祉などへの支出を節約できたからです。実際に、企業から放り出されて失業した人を助けるための「消極的労働市場政策」にも、また仕事を失った人が次の仕事を見つけられるように支援する職業紹介や職業訓練などの「積極的労働市場政策」にも、日本政府は他の先進諸国と比べて非常にわずかな支出しかしていません（図5－6）[74]。

その結果、日本の人々は、企業の「メンバー」に何とか入り込んでしがみつこうとするか、あるいは非正規雇用という不安定でも仕事時間が短くて済む働き方を、時には仕方なく、時には進んで、受け入れるか、という選択を強いられてきたのです。

働くことへの考え方に見られる特徴

このような独特な働き方を長く続けてきた結果、「働くこと」に対する日本の人たちの考え方や感じ方も、他国と比べて特徴的なものになっています。それらの特徴は総じて、強い懸念を感じさせる内容です。

たとえば、リクルートワークス研究所が、民間企業で働いている30～49歳の大卒以上の男女を対象として5カ国で実施した「5カ国リレーション調査」によれば、仕事の5つの要素への満足度は、他の4カ国と比べて日本においてとても低くなっています（図5－7）[75]。なお、仕事や会社に対する積極性や熱意（「エンゲージメント」という言葉で呼ばれます）が、日本でとても低いこと、その裏返しとして仕事で感じるストレスの度合

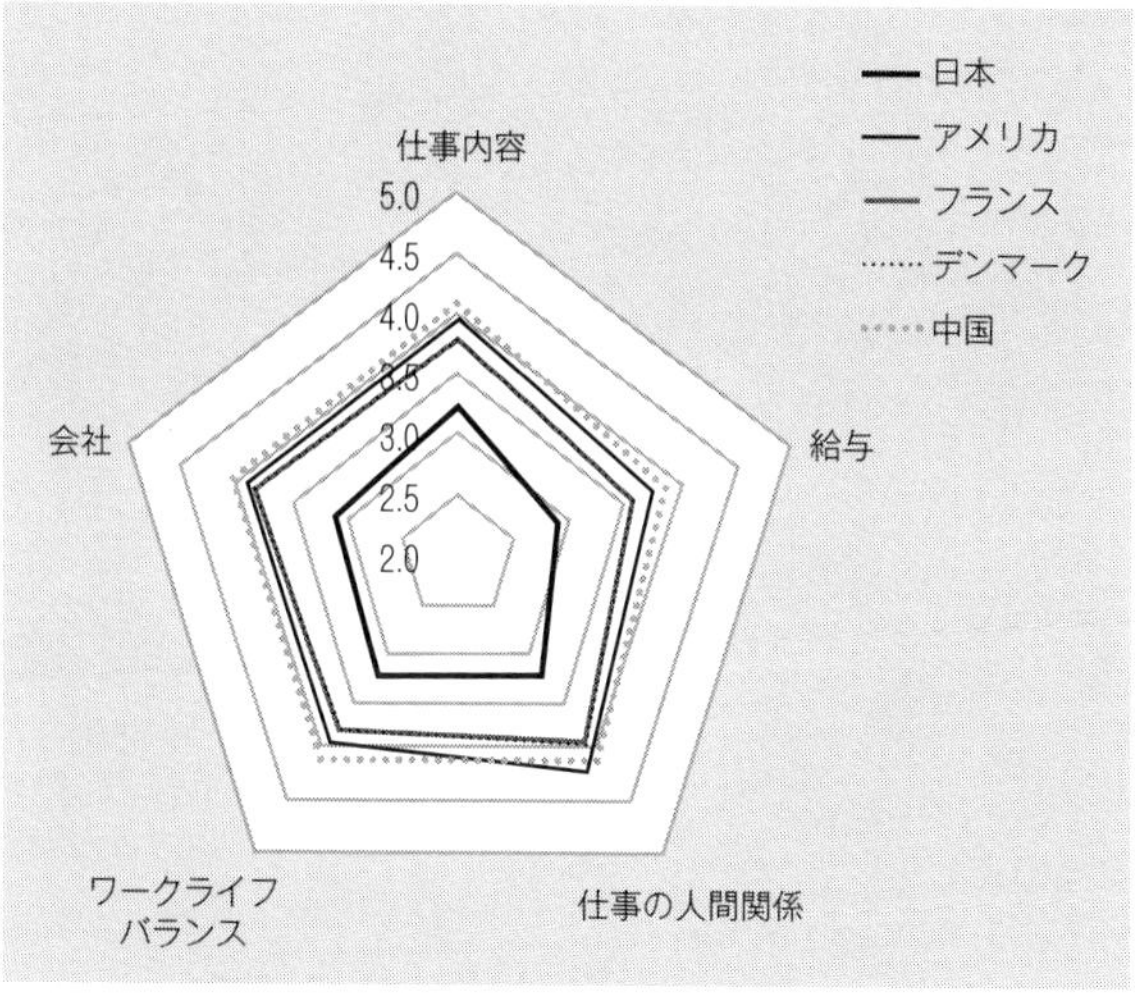

図 5-7　現在の働き方への満足度
出典：注 75 の文献、図表①。

いが日本では高いことは、他の国際比較調査からも繰り返し確認されています。[76] 本章のはじめに触れた『ジャパン・アズ・ナンバーワン』が称賛していた、会社への忠誠や熱心な働きぶりは、少なくともこうした調査で見る限り、今ではまったくあてはまらなくなっていると言えます。

ではなぜ日本ではこのように仕事への満足度が低いのでしょうか。仕事満足度を左右する要因についての研究は国内外に多数あり、労働時間や賃金などの具体的・客観的な処遇や、仕事内容そのものへの興味関心や職場の雰囲気など、より質的な要素が影響していることが知られています。ただ、注目すべきは、そもそも、仕事に関するそうした個別の要素や、自分自身の職業人生（キャリア）を、自分でどれほど自律的にコントロールできると感じているかが重要であることが明らかになっているということです。

そして、その点が日本ではとてもおぼつかないのです。図5－8は、図5－7と同じ調査の結果から、自分のキャリアの決定権が自分自身にあるかどうかをたずねた結果です。[77]他の4カ国と比べて、日本では自分で自分のキャリアを決めることができると考えている比率が小さいです。自分自身の職業キャリアなのに、「どちらともいえない」という曖昧《あいまい》な回答が多くなっています。これは、先述の「メンバーシップ型」の働き方により、勤め先の会社の判断で様々な部署や事業所への移動が決まってしまい、まったく拒否できないわけでもないが実際には拒絶しにくい……という、真綿《まわた》で首を絞められるような、自律性や自由のなさを反映していると考えられます。

そして日本の働く人たちは、企業に対して自分の仕事上の様々な希望が実現されるよう交渉することもあまりしません。これは表5－3に明らかです。入社時に交渉したも

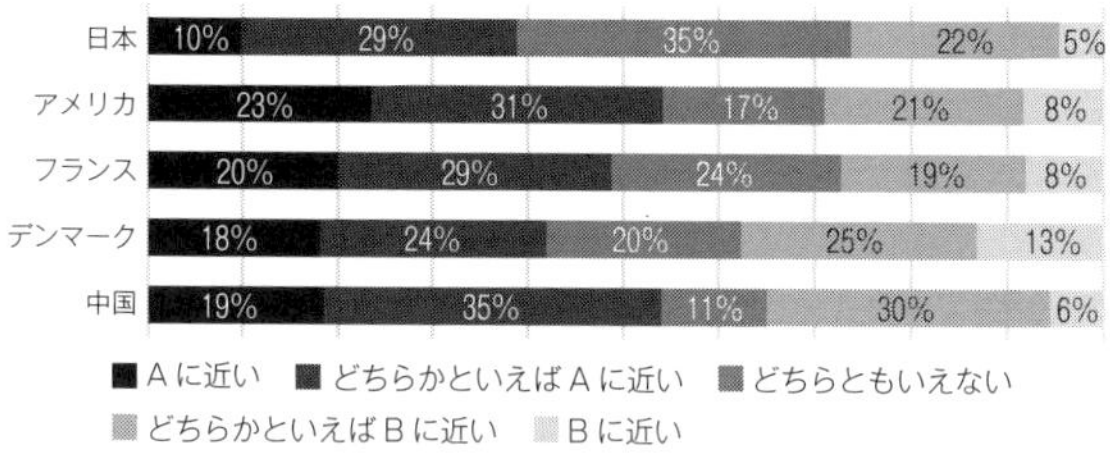

図5-8　キャリアの決定　A：自分　B：状況に応じて
出典：注77の文献、図2。

	日本	アメリカ	フランス	デンマーク	中国
特にない	**48%**	17%	11%	14%	2%
賃金	32%	**68%**	**80%**	**73%**	**88%**
仕事内容	22%	18%	19%	14%	35%
オフィスの環境	7%	17%	20%	12%	23%
チームのメンバー	5%	13%	17%	12%	24%
働く場所（勤務地や在宅勤務）	7%	19%	23%	22%	30%
勤務時間	12%	29%	22%	33%	38%
休暇の取得	6%	26%	21%	18%	33%
妊娠・出産への配慮や福利厚生	1%	7%	13%	12%	13%
子育てへの配慮や福利厚生	3%	8%	8%	13%	9%
介護への配慮や福利厚生	1%	3%	5%	6%	4%
健康への補助（医療保険など）	1%	11%	5%	5%	13%
教育研修	2%	11%	11%	14%	17%
役職	2%	27%	21%	24%	28%
入社後のキャリアパス	2%	14%	19%	16%	22%
雇用保障	2%	17%	17%	16%	40%
ストック・オプションや株式	1%	10%	10%	8%	12%
年金や退職金	2%	11%	6%	16%	17%
住居や車	2%	3%	3%	3%	5%
その他	0%	1%	0%	0%	0%

注：網掛けは10%以上の項目、太字は各国で最も高い項目。勤務企業数2社以上に限定した集計結果。

表5-3　入社時に交渉したこと
出典：注75の文献、図表③。

のが「特にない」比率は日本では半数近くに及んでいますが、他国では10%台かそれ以下と少なく、代わりに賃金や勤務時間、働く場所、オフィス環境など、様々な事柄に対して会社と交渉しています。このように個人が交渉権をもち、企業側とすりあわせて納得がいった場合にそこで働くということが「世界標準」なのです。日本でも、賃金については32%、仕事内容については22%と、一部の人は企業と交渉していますが、他の4カ国では7~8割が賃金交渉をしているのに比べると、いかにも低い値です。「メンバー」に入れてもらったあとは組織に身を委ねる、という働き方の日本では、自分の意思や希望を通すために会社と対峙《たいじ》する姿勢が弱いのです。

また、日本ではもともと、仕事に関して何を重視するかということ自体が、他国とはやや異なっていることが、表5－4からうかがえます。[78] これは、リクルートワークス研究所が2012年に、アジア諸国にアメリカを加えた9カ国で、都市圏で働く大卒以上の20~39歳の男女を対象として実施した「Global Career Survey」で「仕事をするうえで大切だと思うもの」を、最大3つまで選んでもらった結果です。日本だけが、もっとも多くの人に選ばれている項目が異なることがわかりますね。他の8カ国では、「高い

（%）

	高い賃金・充実した福利厚生	雇用の安定性	自分の希望する仕事内容	適切な勤務時間・休日	良好な職場の人間関係	明確なキャリアパス	自分の希望する勤務地	会社のステイタス	教育研修の機会	正当な評価
中国	79.0	31.3	31.9	30.3	29.9	50.4	18.3	12.7	10.6	5.6
韓国	75.1	46.1	41.3	50.2	30.6	11.6	18.0	7.1	6.8	13.3
インド	58.8	37.9	29.6	23.6	26.3	31.5	20.3	30.0	19.7	22.4
タイ	72.5	47.3	35.5	27.5	26.3	21.6	21.4	20.0	11.4	16.6
マレーシア	78.8	37.4	34.2	25.7	25.3	28.7	18.9	13.4	21.7	16.1
インドネシア	83.1	23.3	33.4	23.1	36.5	38.8	14.0	16.1	19.0	12.8
ベトナム	78.5	37.5	35.5	19.7	18.4	30.2	12.9	6.4	44.4	16.4
アメリカ	56.9	48.4	52.8	24.8	25.8	19.8	33.1	9.9	16.3	12.3
日本	39.0	36.3	51.3	49.0	56.0	10.5	20.7	4.8	7.0	25.3

■各国１位の選択率　■各国２位の選択率

表 5-4　仕事をするうえで大切だと思うもの（最大３つまで選択可）
出典：注 78 の文献、図 6。

賃金・充実した福利厚生」という、仕事からの実質的な見返りをもっとも多くの人が重視しているのに対して、日本は「良好な職場の人間関係」が選択比率1位になっています。この項目は、他国での選択比率は20～30％であるのに対して、日本ではほぼ倍の56％もの人が選択しています。これもやはり、職場の「メンバー」に溶け込んで仕事をすることが日本ではふつうであるからこそ、「メンバー」間の関係性が死活問題になりやすいことを表しています。

以上を要するに、少なくとも近年の

日本では、労働条件や職場環境に不満であるにもかかわらず、それらの決定を企業に委ねてしまいがちで、職場の「メンバー」と仲良くやれるかどうかが関心事になっている。そしてこうした自律性・自由のなさが、満足度を一層下げる、という悪循環が生じているのです。90年代以降、働き手に対する企業の扱い方が過酷になっているにもかかわらず、企業に入り込めないと生きてゆけないために、雇ってくれる企業にお任せの態度が働く側の中にも広がり染み込んでしまっていることは、とても残念です。

最低限、必要なこと

では、日本で働く者たちは、いったいどうすればいいのでしょうか。一つ注目しておきたいことは、2019年頃から、にわかに日本経済団体連合会（経団連、主に大企業が集まってつくっている団体）などが、「これからはジョブ型だ!」と言い始めたということです。つまり、日本の企業は、これまでの「メンバーシップ型」正社員といつでも切り捨てられる非正社員の組み合わせという働かせ方が、さすがに不効率であることに気がつき始め、正社員を「国際標準」的な「ジョブ型」に転換していくことで、個々のジョブに関する専門性の発揮を期待するようになっているようです。ただ、その真意はまだよくわかりません。「ジョブ型」について企業側が十分に理解していないようにも見えますし、「ジョブ型」にすれば正社員でも解雇しやすいと誤解しているおそれもあります。こうした企業側の、「ジョブ型」への自分勝手な曲解は是正してゆくことが不可欠です。つまり、安易な解雇を防ぎ、働く側の希望に即して企業内での職務転換などの可能性も備えた形で、「ジョブ型」正社員の働き方のルールを作っていくことが必要です。

そのような条件が整備されれば、私自身は、「ジョブ型」の働き方が増えていくことは悪いことではないと考えています。それは専門性の発揮だけでなく、働く側が、輪郭の明確な「ジョブ」に即した自律性を取り戻すきっかけになると考えているからです。

もし日本でも働き方がいっきに「ジョブ型」にならないまでも、だんだん広がっていくとすれば、働く側に求められるのは、一方では教育や訓練を通じて――それらの整備は政府の責任です【➡第3章「学校」】――何らかの「ジョブ」を担当できるスキルと知識を身につけてゆくこと、他方には、「ジョブ」の処遇に関して、あるいは法律違反など不当な扱いをされたときに、きちんとＮＯの声をあげ、自分の生活と誇りを確保していく姿勢と行動です。後者に関しては、一人で会社に立ち向かうのはいかにも不利ですから、働く者が助け合う仕組みである労働組合――最近は企業を超えて加入できる「個人加盟ユニオン」が頼もしい働きをしています――や、働く者の味方になってくれる法律家などの協力を得ることも重要です。これらはサヨクとかとは関係なく、働き手の生活を守り、経済や企業を鍛えて効率や公正さを実現していくために不可欠なことです。

２０２０年に世界中で感染が拡大した新型コロナウイルスのような感染症は、これからも次々に現れるでしょう。それは働き方にも影響を及ぼしていくはずです。あるいは、気候変動や環境破壊などの地球全体を巻き込んで生じている危機により、「経済成長」や「競争力」や「生産性」を最重要視するような経済のあり方も変わっていくかもしれません。そうだとしても、あるいはそうだからこそ、企業に溶け込んでお任せしっぱなしの働き方ではない、個人としての誇りと主張、確実なスキルをもった働き手が増えていく必要はいっそう高まりますし、みなさんにもそうなってほしいと私は思います。

第6章

政治・社会運動

民主主義はオワコンなのか

本章では、日本の政治や社会運動の現状を検討します。なお、「社会運動」には、労働運動や女性運動、環境運動など多様なテーマが含まれ、その形態や担い手も様々です。本章では広く包括的に「自分が目指す社会や生活のあり方を実現しようとして他者に何らかの働きかけを行うこと」を社会運動とみなします。

政治と社会運動と言えば、違う事柄のようですが、投票や要求など人々の声によって社会のあり方を作っていく動きであるという点では共通しています。言い換えれば、どちらも広い意味での民主主義、つまり、「すべての人ひとりひとりが考え、意見と意志を表明し、それらを可能な限り取り入れながら、より良い社会を目指していく営み」の一環だということです。「今さら「民主主義」？　なんだか古くせーしだせー感じだし、聞き飽きたし。みんなで寄ってたかってわーわー言っても何も決まんねーし。誰かエライ人に決めてもらったほうが速くね？」って思っている人もいるかもしれません。確かに、民主主義の体制をとっている国でもうまくいかなくなっているという説もしばしば聞きますし、そもそも民主主義体制になっていない国もたくさんあります。

でも、だからといって民主主義は軽々しく投げ捨ててよいものではありません。民主主義を放棄したところに現れるのは独裁しかなく、それは必ず、権力者の横暴によって膨大な数の人々に抑圧と苦しみをもたらすからです。

２０２０年11月８日に、アメリカ史上初の女性副大統領になることが決まったカマラ・ハリス上院議員は、以下のように演説しました。


ジョン・ルイス下院議員は亡くなる前に、こう書きました。「民主主義は状態ではなく行動である」と。その意味するところは、アメリカの民主主義は決して保証されていないということです。私たちがそのために闘い、守る意志があってこそ強いものになります。当然のものとして受け止めてはなりません。

民主主義を守るためには、苦しい闘いがあります。犠牲を払います。喜びもあります。進歩もあります。なぜならば、私たちには、より良い未来をつくりだす力があるからです。[79]

ハリス氏が述べているのは、民主主義は、そのような政治体制を採用している国においてさえ、すでに出来上がり確立されたものではないということです。それは人々の不断の意志と行動によって維持されなければ、たやすく壊れてしまう、ということです。

日本の政治学者の宇野重規《しげき》氏も、著書『民主主義とは何か』において、民主主義とは、第一に、少数派の意見が尊重される限りにおいて多数派によって物事が決められることであり、第二に、選挙を通じて代表を選ぶだけでなく自分たちの課題を自分たち自身で解決していくことであり、第三に、制度と理念を絶えず結びつけてゆくことである、と論じています。宇野氏はこの本の終わり近くで、次のように書いています。

> 民主主義には、歴史の風雪を乗り越えて発展してきた、それなりの実体があるのです。本書ではそれを、自由で平等な市民による参加と、政治的権力への厳しい責任追及として分析してきました。このような民主主義の未来は、必ずしも平坦ではないかもしれません。（中略）それでも、今後いかなる紆《う》余曲折《よきょくせつ》があるにせよ、いくつもの苦境を乗り越えて、民主主義は少しずつ前に進んでいく。そう信じて本書を

終えることにします。[80]

宇野氏によれば、民主主義は、選挙で投票するということに留《とど》まらず、社会をつくっていくことへの市民の参加と、権力を握っている人々の行動への監視や追及という側面を含んでいます。こうしたものとしての民主主義は、いまの日本社会において、どのような状態にあるでしょうか。

国際比較と推移から見た日本の投票率

まずは、国政選挙における投票率が、他国と比べて日本ではどのような水準にあるかを確認しましょう。図6－1は、世界各国の民主主義の状況について情報を集めているIDEAという組織のサイトから、把握できる限り多くの国々の、最近の国政選挙の投票率を示しています。[81]

日本については2014年衆議院選挙の投票率が使われていますが、それは52・66％で、200カ国中150位です。低いほうから数えて4分の1という日本の位置は、

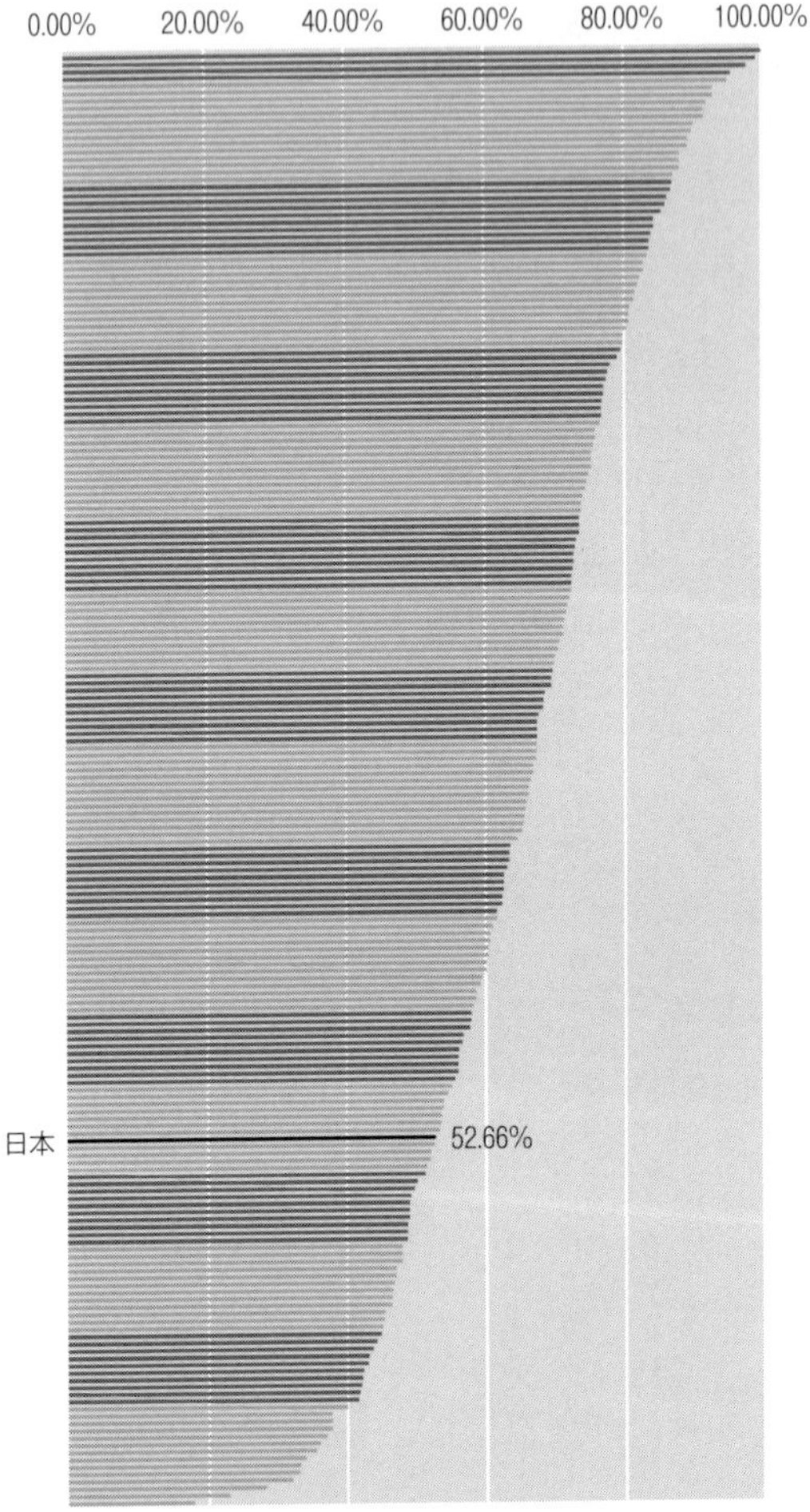

図 6-1　国政選挙における投票率の国際比較

データ出所：注 81 のサイトから筆者作成。

とてもほめられたものではありません。

この年がたまたま低かったのではないか、と思う人もいるかもしれませんから、日本国内での投票率の推移を図6－2に示しておきました。[82] 有権者全体の投票率は、1990年頃までは70％前後で推移していましたが、その後60％前後まで下がり、2009年にいったん上がりますが（民主党が自民党に勝った年ですね）、その後にまたがくんと下がって50％強になっています。

総じていえば最近になるほど下がっており、自分たちの代表を選ぶことへの私たちの行動は、消極化していると言わざるをえません。

図6－2は年齢層別の投票率の推移も示していますが、見てすぐわかるのは、20代、30代という若年層の投票率が、きわだって低いということです。特に20代については、1990年代以降に他の年齢層との落差が明確化しているように見えます。

2016年からは選挙権をもつ年齢が18歳に引き下げられ、2017年（平成29年）での投票率は右下の小さな点（◆）で表されていますが、20代よりは高いとは言え、約40％で、全年齢の投票率より10ポイント以上低くなっています。

若者の投票率が低いのは日本だけではないという指摘もありますが、若者が年長層と同等以上に投票している国も多くあります。少なくとも日本は、若者が選挙への投票という形で民主主義に参加しようとする気持ちを失ってきている国の一つだと言えます。

こうした若者の「選挙離れ」「政治離れ」は、これまでも繰り返し注目されてきました。ではなぜ日本の若者は投票に行かないのでしょうか。東京都選挙管理委員会が2017年に実施した「選挙に関する意識調査」の結果を見ると、選挙に行かない理由として若年層で特に多く挙げられているのは、「仕事が忙しく、時間がなかったから」（20代50％、全年齢36％）で、加えて「選挙によって政治や暮らしが良くなるわけではないから」（20代21％、全年齢15％）、「自分一人が投票しなくても選挙の結果に影響がないから」（20代16％、全年齢10％）、「投票所へ行くのが面倒だったから」（20代16％、全年齢9％）なども20代で多くなっています。

全国の有権者を対象とした2018年の「明るい選挙推進協会」による調査結果でも、20代以下の若者が選挙を棄権した理由の1位と2位はそれぞれ「仕事があったから」（33％）と「選挙にあまり関心がなかったから」（32％）で、この2つは30代・40代と共

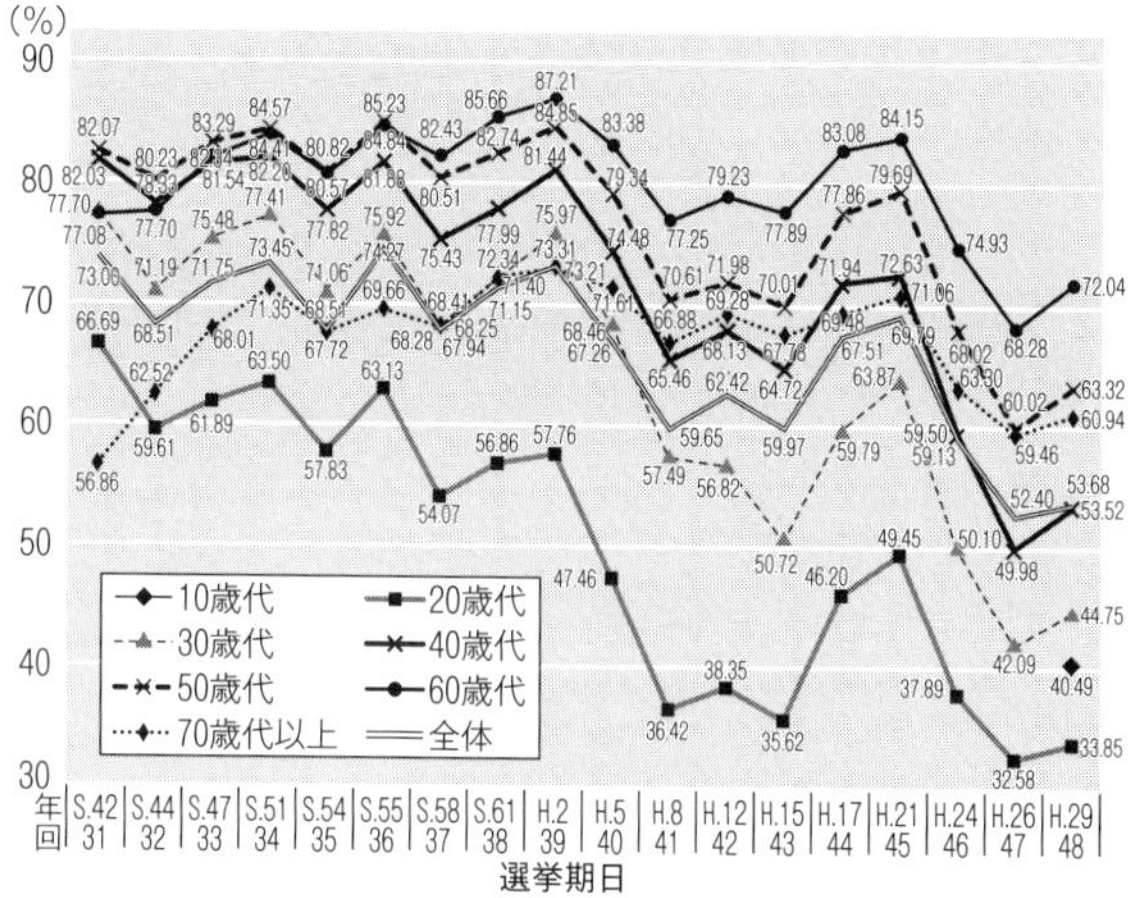

図 6-2　衆議院議員総選挙における投票率の推移（年齢層別）
出典：注 82 のサイト。

通しています。若者が異なるのは第3位が「自分のように政治のことがわからない者は投票しない方がいいと思ったから」（20％）であり、年長層よりも明らかに多いということです。

　何か明確な選挙への批判に裏づけられているというよりも、ひまがない、面倒、投票しても何も変わらない、政治がわからない者は投票しないほうがいい、といった、選挙へのふわっとした「他人事《ひとごと》感」が、近年の日本の若者の投票率の低さの背景にはあるようです。

日本の若者は保守化している？

他方で、日本の若者が「保守化」（様々な議論があるので定義は難しいですが、ざっくりといえば「過去や現状を肯定し変化を望まない姿勢を強めていること」）もしくは「右傾化」（これもざっくりと定義すれば「自国の伝統を称賛し、外国人やマイノリティに対して排除的な姿勢を強めていること」）している、という指摘もしばしば耳にします。「保守化」や「右傾化」をどのように把握するかについては多様な意見や研究がありますが、しばしば注目される指標の一つが、戦後の大半の期間を政権与党の座についてきた保守政党である自由民主党（以下、「自民党」）への支持率です。昔は若者と言えば、すでにある社会体制への反抗心や、社会を新しく変革してゆこうとする考えが強いものとされ、保守政党を支持する傾向は弱いとされてきましたが、最近の若者はそうではなくなっており、自民党を支持するようになっているのではないか、ということが、一般社会や学術研究において様々に議論されてきました。

若者の自民党支持率が特に注目を集めやすいのが、実際の選挙の際に選挙区・比例代表でどの政党に投票したかを、投票を終えて投票所から出てきた人にたずねた、いわゆる「出口調査」の結果です。たとえば、２０１９年7月21日の参議院議員選挙の結果について、朝日新聞は、30代以下が比例代表で自民党に投票した比率が過去と比べて高まり、高齢者の同比率を上回っていること、また、若者の中で特に決まった支持政党をもっていない層が、実際の選挙では自民党に投票していることなどを、記事で指摘しています[83]。

しかし言うまでもなく、「出口調査」とは投票に行った人の中での政党支持率ですから、若者全体の中での政党支持率とはもちろん違います。特に、若者は先述のように投票率が低い傾向があるので、他の年代と比べても「出口調査」の対象が全体像とズレている度合いは大きくなります。

ですから選挙時の「出口調査」ではなく、通常時の世論調査での政党別の支持率を見ると、若年層で自民党支持が高いわけではなく、むしろ中高年層に比べて低いことがわかります（図6-3）[84]。若者の中で中高年層よりも明らかに多いのは「支持政党なし」であり、ここにも「政治離れ」がうかがえます。ただし気になるのは、図6-3で20代・30代を過去と比べると、最近になるほど自民支持率がやや上がってきているように

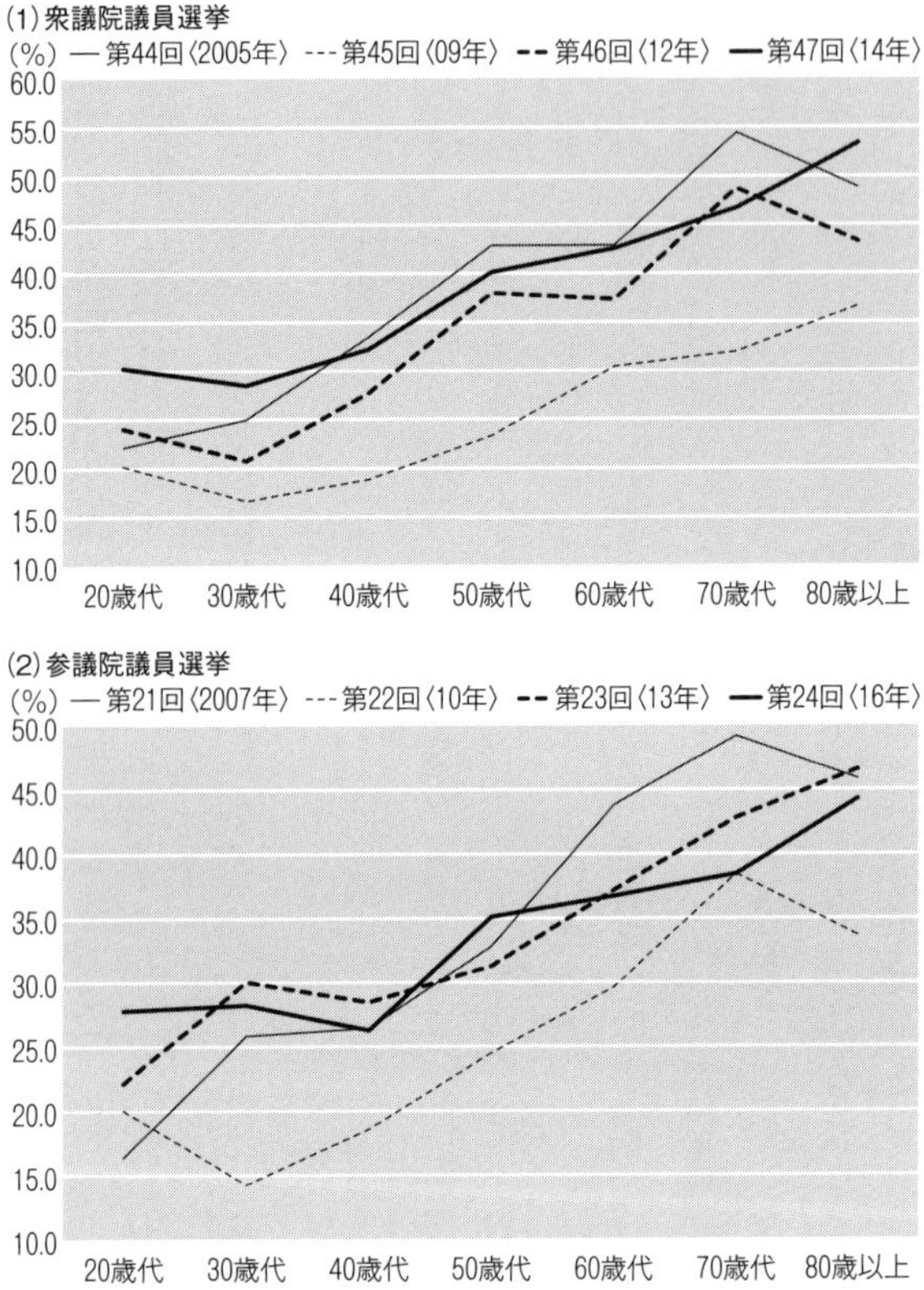

図 6-3　世代別自民党支持割合

出典：注 84 のサイト、図 2。

も見えることです。

どのような若者が自民党を支持するようになっているのかについて、社会学者の松谷満さんが調査データを分析した結果から、次のことが明らかになっています。自民党を支持する若者は、伝統主義や権威主義など、保守的な考え方をもっているわけではありません。そうではなく、物質主義（ひらたく言い換えれば経済の重視）、新自由主義（同じく、競争の重視）、宿命主義（同じく、「人生はあらかじめ決まっている」という意識）という3つの意識が、自民党支持に結びついています。そして、新自由主義の意識は高階層の男性で強いのです[85]。この結果をまとめるならば、経済的利益を求める競争における生まれつきの「勝ち組」が、自民党を支持していると言えそうです。若者の一部で、こうしたある意味、自己中心的な層が、政権与党である自民党を支持するようになっているということは、憂《うれ》うべきことかもしれません。

他国との比較から見た日本の若者の政治意識

ただし、若者全体で見れば、保守政党の支持よりも、選挙や政治へのふわっとした

「他人事感」が強いことは、先に見た通りです。日本の若者の、政治や社会運動に対する考え方の特徴について、いくつかの国際比較調査の結果から、他の諸国と比べてみましょう。

内閣府が7カ国の13歳から29歳までの若者に対して2018年に実施した「我が国と諸外国の若者の意識に関する調査」には、政治や社会参加に関する質問項目がかなりの数、含まれています[86]。それらへの国別回答結果を表6-1にまとめました。

この表は、数値が大きいほど、政治や社会に対して積極的に関わろうとする姿勢が強いことを意味しています。そして太字になっている数字は、各項目について、行を横に見て7カ国を比較した場合に、一番値が小さい、つまり政治や社会に対して積極的ではないことを示す数字です。

まず、一番上の「自国のために役立つことをしたい」については、日本の若者は半数弱が「はい」と答えており、この比率は7カ国の中で真ん中あたりと、決して低いわけではありません。これは、国際比較において日本の若者が常に消極的な回答傾向を示すわけではないということの一つの傍証《ぼうしょう》にもなります。

		日本 (N=1134)	韓国 (N=1064)	アメリカ (N=1063)	イギリス (N=1051)	ドイツ (N=1049)	フランス (N=1060)	スウェーデン (N=1051)
自国のために役立つことをしたい	「はい」	47.8	**38.7**	45.3	40.5	54.0	53.2	57.1
あなたは、今の自国の政治にどのくらい関心がありますか	「非常に関心がある」	**12.2**	15.2	32.8	21.7	25.7	21.4	21.9
	「どちらかといえば関心がある」	**31.3**	38.6	32.1	37.2	44.9	36.1	35.2
	合計	**43.5**	53.8	64.9	58.9	70.6	57.5	57.1
社会をよりよくするため、私は社会における問題の解決に関与したい	「そう思う」	**10.8**	29.9	43.9	32.4	30.3	26.5	26.0
	「どちらかといえばそう思う」	31.5	38.5	**28.7**	31.3	45.2	30.4	30.9
	合計	**42.3**	68.4	72.6	63.7	75.5	56.9	56.9
将来の国や地域の担い手として積極的に政策決定に参加したい	「そう思う」	**9.0**	22.1	29.8	22.1	18.2	19.1	16.3
	「どちらかといえばそう思う」	**24.3**	37.9	39.8	39.5	36.3	37.4	30.7
	合計	**33.3**	60.0	69.6	61.6	54.5	56.5	47.0
子供や若者が対象となる政策や制度については子供や若者の意見を聴くようにすべき	「そう思う」	**31.6**	43.9	45.1	38.6	41.0	32.8	37.9
	「どちらかといえばそう思う」	37.9	36.7	**34.0**	38.7	37.4	40.8	37.3
	合計	**69.5**	80.6	79.1	77.3	78.4	73.6	75.2
私の参加により、変えてほしい社会現象が少し変えられるかもしれない	「そう思う」	**8.5**	16.8	32.5	20.8	18.1	17.5	16.5
	「どちらかといえばそう思う」	**24.0**	30.5	30.6	34.1	33.0	33.1	30.4
	合計	**32.5**	47.3	63.1	54.9	51.1	50.6	46.9
私個人の力では政府の決定に影響を与えられない	「そう思わない」	**9.4**	14.9	14.9	10.4	12.9	11.5	19.8
	「どちらかといえばそう思わない」	**19.8**	22.1	20.2	19.9	23.4	20.0	28.1
	合計	**29.2**	37.0	35.1	30.3	36.3	31.5	47.9
あなたは、自国の社会に満足していますか、それとも不満ですか	「満足」	**5.3**	6.3	27.8	18.5	17.2	14.2	19.0
	「どちらかといえば満足」	33.5	32.7	**30.0**	38.4	51.7	30.2	39.2
	合計	**38.8**	39.0	57.8	56.9	68.9	44.4	58.2
自国の将来は明るいと思いますか	「明るい」	**4.2**	9.3	32.5	20.7	14.8	13.0	18.8
	「どちらかといえば明るい」	**26.7**	31.7	35.1	36.0	45.9	37.5	43.2
	合計	**30.9**	41.0	67.6	56.7	60.7	50.5	62.0

注：一番上の項目のみ〈はい／いいえ／わからない〉の3件法、それ以外は〈肯定／どちらかといえば肯定／どちらかといえば否定／否定／わからない〉の5件法。太字は当該の回答比率が7カ国中で最小の値。

表6-1　7カ国の若者の政治意識（%）　データ出所：注86の文献から筆者作成。

しかし、その下に並んでいる、政治への関心、社会問題の解決、政策決定への参加、子どもや若者の意見の反映、社会現象の変革、政府の決定への影響などについては、日本は軒並み、最小の数値が並んでいます。「どちらかといえば〜」という内容の項目のいくつかでアメリカが最小になっていますが、これはアメリカではもっとも強く肯定する回答の比率が多いために、「どちらかといえば〜」が少なくなっていることによります。ただし、他の6カ国と比べると少ない比率ではあっても、「子供や若者が対象となる政策や制度については子供や若者の意見を聴くようにすべき」と考えている日本の若者は約7割に達していますし、それ以外の項目でも3〜4割が肯定してはいます。

そして、一番下の2つの項目、つまり自国への満足度や自国の将来の明るさについても、日本では肯定する回答は他国よりもきわめて少なくなっています。

以上を総合するならば、日本の若者は、政治や社会参加に関して、他国と比べて異様なほど後ろ向きだと言わざるをえません。ここで思い出すのは、アメリカから来て日本の子どもたちに英語を教えている若い女性が、日本の子どもたちはとても"docile"だと言っていたことです。"docile"とは、「従順な」とか「御《ぎょ》しやすい」といった意味です。

Q1　あなた自身について、お答えください。　（※各設問「はい」の回答者割合）(%)

	自分を大人だと思う	自分は責任がある社会の一員だと思う	将来の夢を持っている	自分で国や社会を変えられると思う	自分の国に解決したい社会課題がある	社会課題について、家族や友人など周りの人と積極的に議論している
日本 (n=1000)	29.1	44.8	60.1	18.3	46.4	27.2
インド (n=1000)	84.1	92.0	95.8	83.4	89.1	83.8
インドネシア (n=1000)	79.4	88.0	97.0	68.2	74.6	79.1
韓国 (n=1000)	49.1	74.6	82.2	39.6	71.6	55.0
ベトナム (n=1000)	65.3	84.8	92.4	47.6	75.5	75.3
中国 (n=1000)	89.9	96.5	96.0	65.6	73.4	87.7
イギリス (n=1000)	82.2	89.8	91.1	50.7	78.0	74.5
アメリカ (n=1000)	78.1	88.6	93.7	65.7	79.4	68.4
ドイツ (n=1000)	82.6	83.4	92.4	45.9	66.2	73.1

図 6-4　若者の意識に関する 9 カ国比較
出典：注 87 のサイト。

まるで羊のようにおとなしい、意見を言わない、と彼女は述べていました。それは見方によっては良い面もあるのかもしれませんが、民主主義の担い手になってもらいたいと願う立場からは、どうしても残念なことに感じられます。

先ほどの調査結果だけでは、いまひとつ納得できないかもしれませんから、別の調査結果も見ておきましょう。図6‐4は、公益財団法人日本財団が2019年に、アジア諸国を含む9カ国の18歳の若者に対して、図の中にある6つの項目についてたずねた結果です。[87]

この調査でも、先の内閣府の調査と同様の結果が出ています。欧米だけでなく、アジア諸国と比べても、自分を大人だと思うか、責任ある社会の一員と思うか、国や社会を変えられると思うか、などについて、そう思う比率が日本の18歳では著しく小さいです。日本でも6割は夢を持っていますし、半数弱は解決したい社会問題があると感じていますが、社会を変えられる、という意識は、他国では4〜8割がもっているのに対し、日本では2割を切っています。

なぜ日本の若者は政治意識が希薄なのか

政治参加や社会変革に対する日本の若者の際立った消極性を示すこれらの結果は、どう解釈すればよいでしょうか。なぜ日本では、このような回答傾向がみられるのでしょうか。いくつかの推理（仮説）が可能だと思います。

第一は、汚職などが頻繁に報道される政治（家）への「嫌気《いやけ》」です。2016年に国際若者財団が世界30カ国の16〜24歳の若者に対して実施した調査では、「政府は若者のニーズを重視していない」と答えた比率は全体平均では67％でしたが、日本は76％で、かなり高い水準になっています。[88]

第二は、先の表6－1では日本の若者も「自国のために役立つことをしたい」とは思っているということが表れていましたが、その「役立つ」方法が、政治というルート以外で考えられているということです。これも先に触れた日本財団の調査には、「あなたは、どのようにして国の役に立ちたいと思いますか」という質問があり、日本だけが第1位の回答が「きちんと働き納税する」になっています。[89]

第三は、身の回りで政治に触れる経験の少なさです。これについては、図6－4の右端の項目で、「社会課題について、家族や友人など周りの人と積極的に議論している」と答えた比率が日本できわめて少ないことに表れています。また、日本では学校における政治的中立性が必要であることが非常に強調されていますが、ある調査では教員が政治的立場を表明したほうが生徒の政治関心が高まることが明らかになっており、学校での過度の政治的中立性が子どもや若者の政治関心を薄めてしまっていると言えます。[90]

第四は、第二・第三ともからみますが、何か政治的な行動をとることに対して、「わがまだ」といった良くないイメージが若者の間に広がってしまっていることです。ある研究では、政治的・社会的な主張を行うものとしての「デモ」に対するイメージを年齢別に分析していますが、「評価できる」「有効である」といった肯定的な回答は若者で少なく、逆に「社会に迷惑をかけている」「偏ったものである」「過激なものである」などの否定的な回答が若い年齢層ほど多くなっています。[91] なぜこうなっているのかについてはさらなる分析が必要ですが、何かを主張することを若者が否定的に見るようになっていることは、残念というしかありません。

政府の責任をどう考えるか

ここまでは、主に若者に焦点を絞って、政治や社会運動への意識を見てきました。ただ、若者だけでなく、中高年齢層を含む日本の人々全体の状況にも目を向けておく必要があります。そして、投票や政治参加をするかどうかということに深く関わる事柄として、人々が政府に対して何を求めているのかを見てみることにしましょう。

このテーマに関して大きな話題を呼んだのが、2007年にPew Research Center

というアメリカの調査会社が実施した国際比較調査において、「国や政府は、自力で生活できないとても貧しい人を助ける責任がある」という質問項目に対して、日本では「完全に同意」という回答が15％、「ほぼ同意」まで含めても59％に過ぎず、調査に参加した34カ国の中で最低だったということです。[92] この結果に基づいて、日本はきわめて冷酷な「自己責任」社会だ、という主張が、インターネット上などで繰り返し発せられてきました。しかし、この調査結果については、調査項目の言葉遣いに問題があった（たとえば、「責任」という言葉が良くないという意見もありました）とか、他の調査ではそれほど冷酷な結果は出ていない、といった疑問符もつけられてきましたし、何より調査時期自体が古くなってしまっています。

ですから、より新しい国際比較調査の結果を参照してみましょう。国際社会調査プログラム（ＩＳＳＰ）が２０１６年に実施した調査では、11個の項目について「政府の責任」とみなすかどうかを、35の国・地域で質問した結果がわかります。表６‐２は、日本でこれらの項目を「政府の責任」もしくは「どちらかというと政府の責任」と答えた比率（肯定率）の参加国中での順位と、それぞれの実際の肯定率を示しています。

この表からは、多くの項目について、日本では「政府の責任」とみなす度合いが低いことが見て取れます。11項目中9項目で日本は35カ国・地域中で30位よりも下位であり、うち「医療の提供」「高齢者の生活保障」「低所得家庭の大学生への援助」「住居の保障」「自然環境保全」の5項目については最下位です。順位は低くても、肯定率が7〜8割に及んでいる項目もかなりありますが、それでも他国と比べれば、政府にそれらの施策を求める強さは相対的に弱いのです。さらには、「住居の保障」と「雇用の提供」については、肯定率が半数に達していません。

他方で、経済政策に含まれる「物価の安定」については肯定率が12位で、調査対象国・地域の中でも中位より少し上にあり、肯定率も9割近くに達しています。ちなみに、「責任」という言葉が使われていても、政府の責任とみなす項目があるということは、先に触れたPew Research Centerの調査結果もあながち間違っていないことを意味しているかもしれません。同じく経済関連の「産業の成長」については、ぎりぎりではありますが30位よりも上にあります。

要するに、日本の人々は政府に対して、医療や教育、住居など生命と生活を守るため

	35カ国・地域中の順位	日本の肯定率		
		政府の責任	どちらかというと政府の責任	合計
雇用の提供	**30位**	14%	31%	<u>45%</u>
物価の安定	12位	45%	43%	88%
医療の提供	**35位**	31%	47%	78%
高齢者の生活保障	**35位**	33%	43%	76%
産業の成長	29位	23%	49%	72%
失業者対策	**34位**	15%	38%	53%
貧富の格差縮小	**30位**	29%	36%	65%
低所得家庭の大学生への援助	**35位**	26%	41%	67%
住居の保障	**35位**	9%	28%	<u>37%</u>
自然環境保全	**35位**	42%	43%	85%
男女平等の推進	**33位**	32%	38%	70%

注：順位は「政府の責任」「どちらかというと政府の責任」を合計した比率に基づく。30位以下の順位は太字、合計回答率が50%以下の値は下線で示している。

表6-2　項目別　「政府の責任」に関する日本の順位と回答率
データ出所：ISSP2016データを用いて筆者作成。

の基本的な条件を整えることや、失業者や高齢者や低所得家庭の大学生を助けたり、男女平等を推進したりといった、「公平さ」を実現する役割を強く求めていないのです。経済や物価だけちゃんとまわしてくれればいい、あとは自分たちで稼いで生きていくから、といった意識が、他国と比べて強いと言えます。前述した日本財団の若者調査の結果で、「働いて納税することによって国の役に立つ」ことが1位になっていることや、若者の中で自民党を支持している人の特徴と似た意識が、日本の人々全体の中にも、広く染みわたっていることが、他国との比較からは見いだされるのです。

人々の自活・自助を当然視し、政府はそのための経済的な環境を整えてさえいればよい、社会の中に苦しい人や不平等があったとしても、その是正は政府の役割ではない、という考え方。これは、戦後日本において長年にわたり政権の座についてきた自民党の政策が、明に暗に発してきたメッセージそのものです。自民党は、セーフティネット（困難な状況にある人々の生命や生活を守るための様々な制度）の整備や、教育への財政支出に対して、ずっと消極的な姿勢をとっています。ジェンダーの章【⬇第2章】で述べたように、選択的夫婦別姓さえまだ実現しておらず、男女間の平等にも熱心ではありません。そうした政権与党からのメッセージが、日本で生きる人々の中にも、かなり浸透してしまっていると言えます。

2020年から世界で猛威をふるっている新型コロナウイルスの感染についてさえ、「自業自得」であり本人が悪い、とする考え方をもつ人が、日本では11%と、アメリカ・イギリスの10倍、イタリアの4倍以上、中国と比べても2倍以上に達しているという調査結果もあります。[93] こうした、苦しい目に合っている人はその人が悪い、という、いわゆる「自己責任」の意識が日本で広がっていることを、悲しく思います。

政治と社会運動を、取り戻す

2012年の第46回衆議院議員総選挙と2013年の第23回参議院議員通常選挙で、安倍晋三を総裁としていた自民党は、「日本を、取り戻す」というスローガンを掲げて大勝しました。しかし今思えば、本当に日本にとって必要だったのは、「人々が、政治と社会運動を、取り戻す」ことだったのではないでしょうか。

2020年、世界各国と同様に新型コロナウイルス感染症に襲われた日本では、仕事や収入や、住処《すみか》もなくして、NPOなどに支援を求めたり、あるいは支援すら求めず餓死してゆくような人々が現われました。コロナ以前から、格差や貧困の拡大は指摘されていましたが、それがウイルスという巨大な災厄のもとでいっそう悪化・顕在化したのです。この状況を前にして、オリンピックの開催や観光業の維持にこだわり続ける自民党は、まったくといってよいほど無策でした。それどころか、汚職や違法行為、国会での虚偽《きょぎ》答弁など、およそあらゆる不当なふるまいを続けていたのです。

この緩み切った政府のあり方は、実のところこの日本で生きる私たちが、それを許してきてしまったということでもあるのです。山積する社会問題に対して、権力と国家予算を手にしている政府が、それらを人々の生命と生活を守るために正しく行使するよう、監視・批判・要請をしっかり行わなければならなかったのに、それを十分にやれてこなかったということが、日本の政治の惨状をもたらしました。

老政治家たちが自分たちの利益や特権を確保することばかりに精力を傾けているように見える政治には、確かにうんざりします。デモや署名をしても、はかばかしい成果につながらない場合も多く、徒労感《とろうかん》も強いです。でも、そうしたうんざり感や徒労感こそが、民主主義を叩《たた》き潰したい人たちが望んでいることだと気がつけば、いくらうんざりしたり虚《むな》しく思ったりしても、私たちが生命と生活を守って生きてゆくために必要な施策や制度を、政府に対してあきらめずに強く要請し続けていかなければならないのです。

本章の冒頭で、民主主義をあきらめたところに現れるのは独裁だけだと書きました。日本の民主主義は形だけで、もうすっかりそうなっているかもしれません。でも、あきらめてはならないのです。

本章では、政治や社会に対する日本の若者の意識や行動の希薄《きはく》さに関するデータを主に紹介してきました。実際に、それを裏づけるデータは非常に多いのです。でも、近年の調査の中には、希望が感じられるものもあります。2021年4月27日に日本労働組合総連合会（略称：連合）が発表した「多様な社会運動と労働組合に関する意識調査2021」の結果によれば、全年齢合計で55・9％の人が社会運動に参加したいと答えており、中でも10代は69・5％と、もっとも高い参加意欲を示していました。実際の参加率は、全体では27・5％にとどまっていますが、これについても10代は35・5％と、60代の39・0％に次いで高くなっています。具体的な行動の内容を見ると、10代・20代はオンラインの「#ハッシュタグ型」の運動に参加した人がそれぞれ約10％で他の年代よりも多く、募金などの「金品支援型」の経験率も17・5％と60代に次いで多くなっています。この調査でもデモ行進などの「デモンストレーション型」に対しては、特に10代で「迷惑」「怖い」といった良くないイメージが強く表れていますが、署名やハッシュタグについては「気軽に参加できる」「有効である」といったプラスイメージがかなり抱かれています。

私自身は、デモンストレーション型も重要ではないかと思っていますが、何も社会運動の方法をそれだけに限定する必要はありません。実際に、日本の若い人や学生の間で、学費や気候問題、性暴力反対、最低賃金を上げることなど、本当に多様な事柄について、オフラインとオンラインの双方を駆使しながら、粘り強く主張しているグループがたくさん現れてきています。[94] 中高生の間で、不合理なほど厳しく細かい校則を変えるよう、学校に要求する動きもあります。

選挙での投票であれＳＮＳでの発信であれ、友人とのちょっとした「これってあんまりじゃね？」という会話であれ、ひとりひとりの個人が、社会のあり方について考え、動くこと。政治とか社会運動とか大仰《おおぎょう》な言葉を持ち出さなくとも、何が起こっているかをよく見て、どうしたいかを表現すること、それが民主主義という大きな城を作り支えてゆく基盤なのです。どうか、それだけは忘れないでほしいと思います。

第7章

「日本」と「自分」

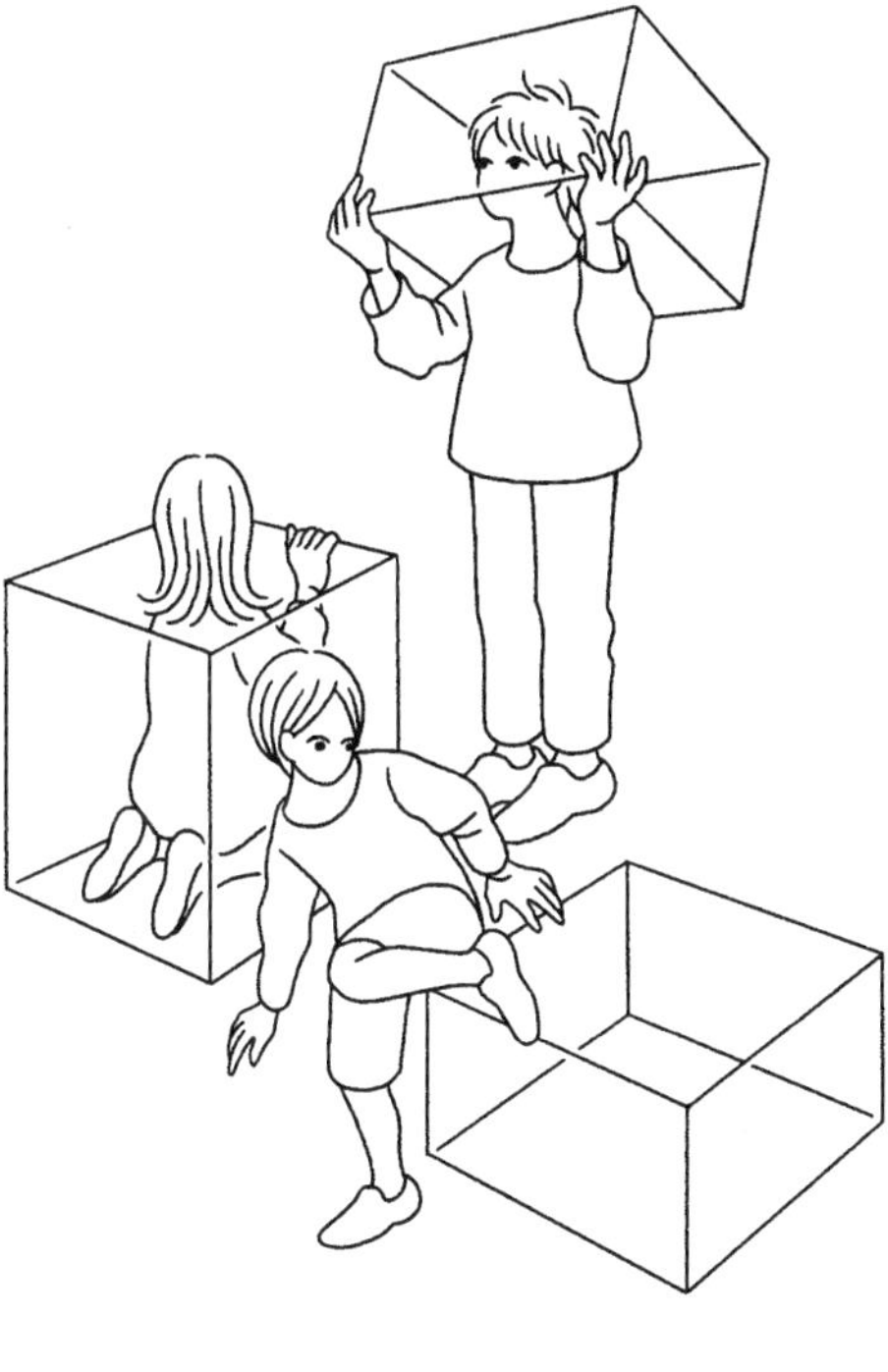

「日本がだめでも自分がOKならいいじゃん」

さーて、ここまでの各章では、総じて気が滅入る日本社会の現状を、様々なデータで示してきました。これに対して、「そんなの自分には関係ねえ！」と感じる人もいるでしょう。「自分はけっこううまくやっていけてるし、日本とか意識したことないし」とか、「自分がうまくいかないのは自分のせいだし」とか、「他の国と比べてどうとか、そもそも他の国なんて日本語通じないしこわいし行く気もないし」とか。

実際にたとえば、ロックバンドRADWIMPSのボーカルである野田洋次郎氏は、2020年5月に、あるインタビューで日本政府の新型コロナウイルス感染症対策に触れつつ、次のように語っています（傍線は私が引きました）。

僕自身は国というものを信用しなくなりました。一切。一応この国に住むために税金は納めますが、（意識として）金輪際《こんりんざい》「国」というものから切り離した個体で生きようと思っています。要請や要望、税金の徴収、向こうからのリクエストはシコタマ飛んできますがこちらからの要望には応えない。まるで自分たちの財布の中身のように扱っていますが、税金はそもそも僕たちが支払ったお金です。それを国民が困窮している時に、国民が安心できるレベルまで補償として使わない道理がわかりません。僕はもう期待もしない。自分と、自分の大切なものは自分で守る。今はそういう気持ちです。[95]

野田氏はここで、自分を〝「国」というものから切り離した個体〟として生きる、国には期待せず自分と周囲を自分で守る、と述べています。「国なんて関係ねえ！」的な考え方の典型と言えるでしょう。

では、野田氏は本当にそのようにして生きていけるのでしょうか？　答えは「いいえ」です。そんなことはできません。もちろん、他国に住居も国籍も移してそこでずっと生きていくのであれば、少なくとも「日本」からは自分をかなり切り離して生きていけるかもしれませんが、移住した先の「国」の仕組みや規範から逃れることはできないのです。

ほんの少し考えればわかるはずですが、私たちのふだんの生活には、「国」がつくった法律や制度が充満しています。朝起きて顔を洗う水道の水も、朝ご飯を食べるときに使う電気やガスも、食品の賞味期限や成分表示なども、食べたあとのゴミの処理も、住んでいる家の建築も、外に出て歩く道も、乗る交通機関も、行先の学校・大学や会社で行われていることも、買物をする店や商品も、すべて国や自治体が定めた法律や条例、行政として行う諸事業にまみれています。様々な事柄が整備されていたりいなかったりするのも、この日本という「国」の枠組みの中で起きていることです。どの「国」に住もうが、そうした枠組みから自分を切り離して生きていくことは不可能なのです。だから、自分たちを濃密に取り巻いている「国」のあり方について、知ったり考えたりすることは、とても重要です。

ただし、私たちの多くは日々の生活に慣れきっていて、いちいち「ニッポン」がどうのこうの、と考えたりしていない場合が多いということもまた、事実かもしれません。そして、大して意識しなくとも、元気いっぱいで楽しく生きていられるのなら、それはそれで幸せなことかもしれません。でも、やはり食い下がって投げかけてみたいのは、「あなたたちは幸せに生きているの?」という問いです。逆の言い方をすれば、「あなたたちにとって、何より大事なはずの「自分自身」が、この日本という国に立ち込めている法・制度や考え方・雰囲気の中で、傷つき、損なわれてはいませんか？」という問いです。

やはりこの問いについても、データに基づいていてみていくことにしましょう。

見つからない意味、低い自己効力感、強い不安

まずは、図7−1を見てください。これは、高校1年生を対象とするPISAの2018年調査において、「生きる意味」についての意識をたずねた結果です。3つの質問項目への回答を合成して作成された「生きる意味」指標の国別平均スコアをグラフ化しています。

「日本」を見つけられましたか？　はい、調査に参加した73カ国・地域の中で、日本は最低です。「何のために生きてるのかわからない……」という気持ちを抱えながら日々を送っている若者が圧倒的に多い国、それが日本なのです。

続いて表7−1も、図7−1と同じ調査から、「自己効力感」に関する質問5つと、

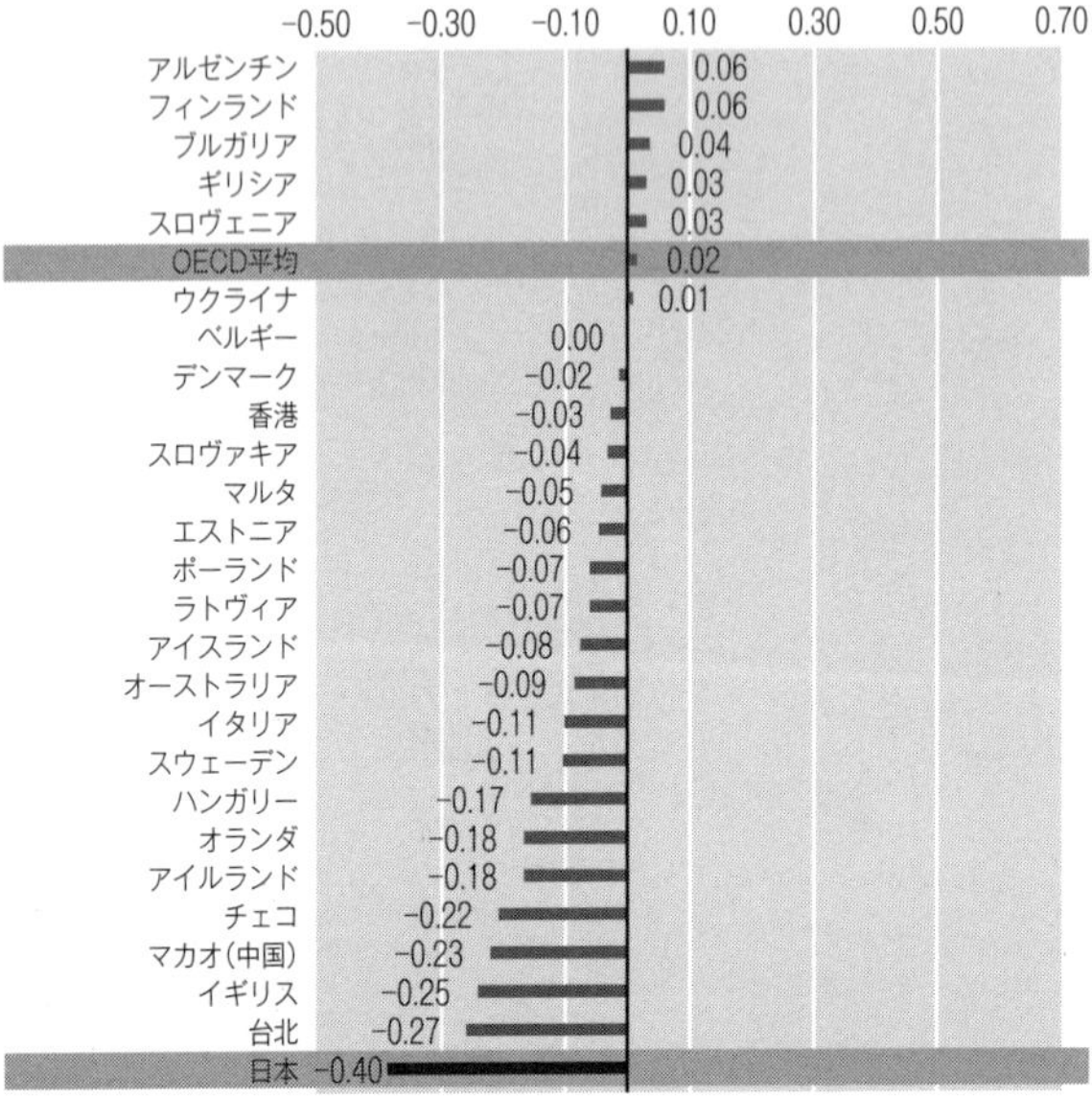

図 7-1　「生きる意味」の国際比較

データ出所：OECD, PISA 2018 Database, Table III.B1.11.14.

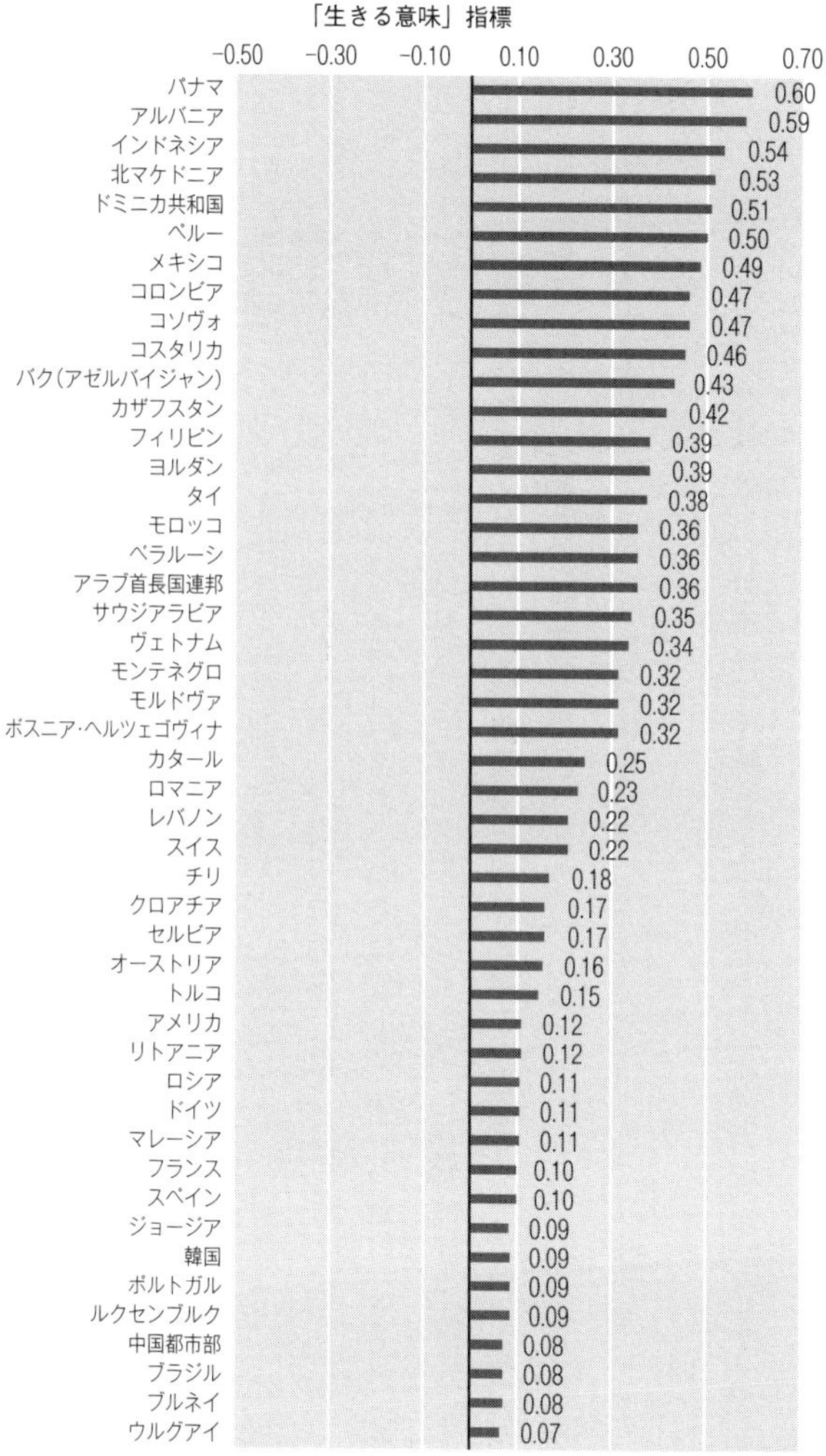
「生きる意味」指標
−0.50
−0.30
−0.10
0.10
0.30
0.50
0.70
パナマ 0.60
アルバニア 0.59
インドネシア 0.54
北マケドニア 0.53
ドミニカ共和国 0.51
ペルー 0.50
メキシコ 0.49
コロンビア 0.47
コソヴォ 0.47
コスタリカ 0.46
バク（アゼルバイジャン） 0.43
カザフスタン 0.42
フィリピン 0.39
ヨルダン 0.39
タイ 0.38
モロッコ 0.36
ベラルーシ 0.36
アラブ首長国連邦 0.36
サウジアラビア 0.35
ヴェトナム 0.34
モンテネグロ 0.32
モルドヴァ 0.32
ボスニア・ヘルツェゴヴィナ 0.32
カタール 0.25
ロマニア 0.23
レバノン 0.22
スイス 0.22
チリ 0.18
クロアチア 0.17
セルビア 0.17
オーストリア 0.16
トルコ 0.15
アメリカ 0.12
リトアニア 0.12
ロシア 0.11
ドイツ 0.11
マレーシア 0.11
フランス 0.10
スペイン 0.10
ジョージア 0.09
韓国 0.09
ポルトガル 0.09
ルクセンブルク 0.09
中国都市部 0.08
ブラジル 0.08
ブルネイ 0.08
ウルグアイ 0.07

「失敗不安」に関する質問3つについて、それぞれ肯定する回答の割合を国・地域別に示しています。「自己効力感」は高いほうが望ましい、「失敗不安」は低いほうが望ましい、という考えのもとに調査された結果です。そして表の中で灰色になっている部分は、「自己効力感」については日本以下の、「失敗不安」については日本以上の国を表します。

特に「自己効力感」についてはは灰色が少ないですね。これはつまり、日本よりも「自己効力感」が低い国が少ない、すなわち日本の「自己効力感」はこれだけの国・地域の中で最低レベルだということです。5項目のうち3つでは最下位から2番目、2つでは文字通り最下位です。最下位の2項目は、「自分を信じることで、困難を乗り越えられる」と「困難に直面したとき、たいてい解決策を見つけることができる」です。敵を倒していく日本製アニメなどでは、強敵が現れたときに、しばしば主人公に「ぬおおお!」と謎の力がわいたりしてやっつける、ということが定番ですが、実生活ではそんな感覚とはほど遠いようです。

他方の「失敗不安」を見ると、日本は「失敗しそうなとき、他の人が自分をどう思うかが気になる」は高いほうから5番目、「失敗しそうなとき、自分に十分な才能がないかもしれないと不安になる」は高いほうから3番目と、かなり高位につけています。「他の人にどう思われるか」と「才能」に関して日本の失敗不安が相当に高いということは、他者からの「視線」と、自分自身の「才能」との両面を常に気にしなければならない状態があることを意味します。なお、総じて、中国やシンガポールなど、東アジアの国で「失敗不安」は強くなっているようです。

もう一つの「失敗しそうなとき、自分の将来への計画に疑問をもつ」については、灰色の部分、つまり日本以上にその度合いが強い国・地域が多く、日本でこの不安がそれほど顕著ではないことがわかります。ただしこれは、「将来への計画」が日本では明確ではないことによるものかもしれません。

図7－1と表7－1で見る限り、日本の高校1年生は、多数の国・地域と比較しても、生きる意味の感覚や自己効力感はきわめて低く、失敗することへの不安はかなり強いという、なかなかつらい結果になっています。

他の調査として、たとえば内閣府の「我が国と諸外国の若者の意識に関する調査（平成30年度）」を参照しても、日本の若者（13～29歳）は、「私は、自分自身に満足してい

OECD パートナー国								
アルバニア	93	92	78	92	95	52	45	46
アルゼンチン	87	84	61	78	82	41	57	51
バク（アゼルバイジャン）	84	87	82	84	86	64	56	58
ベラルーシ	86	73	56	79	90	49	53	48
ボスニア・ヘルツェゴヴィナ	86	90	81	87	87	39	40	46
ブラジル	76	88	57	75	77	55	59	57
ブルネイ	87	87	56	77	78	74	70	73
中国都市部	82	90	61	81	74	78	53	51
ブルガリア	82	82	74	77	84	54	51	51
コスタリカ	91	96	79	84	89	47	48	42
クロアチア	91	94	77	83	89	47	47	46
ドミニカ	85	87	77	84	86	60	56	50
ジョージア	82	72	69	84	83	48	44	42
香港	74	84	66	72	73	82	71	72
インドネシア	72	90	71	91	89	59	46	39
ヨルダン	80	86	79	87	80	47	46	49
カザフスタン	78	60	77	85	88	45	43	34
コソヴォ	88	90	76	91	92	53	55	61
レバノン	67	75	71	70	73	41	47	53
マカオ（中国）	79	85	51	65	72	80	78	66
マレーシア	63	85	55	80	80	75	69	67
マルタ	91	90	70	74	83	58	65	72
モルドヴァ	87	85	72	86	88	64	55	50
モンテネグロ	87	91	83	84	90	39	39	40
モロッコ	80	86	71	80	80	44	54	53
北マケドニア	84	92	85	88	90	51	48	55
パナマ	87	92	74	87	88	53	56	50
ペルー	89	93	74	88	90	49	49	42
フィリピン	84	89	76	83	83	72	60	63
カタール	80	87	74	69	82	50	53	58
ロマニア	93	87	68	85	91	46	48	41
ロシア	67	76	61	75	82	53	48	49
サウジアラビア	83	87	74	86	80	47	43	41
セルビア	84	91	80	82	88	42	41	48
シンガポール	94	95	62	77	86	72	73	78
台北	85	86	57	73	80	89	84	77
タイ	89	94	67	90	86	66	68	64
ウクライナ	90	88	59	80	86	51	50	39
アラブ首長国連邦	88	89	76	82	85	55	58	64
ウルグアイ	90	90	73	76	85	46	57	54
ヴェトナム	88	93	30	90	79	67	53	52

表 7-1　「自己効力感」と「失敗不安」の国際比較

注：国・地域は、アルファベット順に並べてある。網掛けした部分は、「自己効力感」については日本以下、「失敗不安」については日本以上の国・地域。

データ出所：OECD, PISA 2018 Database, Tables III.B1.13.1 and III.B1.13.2.

	以下の項目に「まったくその通りだ」「その通りだ」と答えた生徒の割合（%）							
	「自己効力感」指標					「失敗不安」指標		
	物事はたいてい何とかできる	物事を達成すると、自分を誇らしく思う	同時に複数のことを行うことができる	自分を信じることで、困難を乗り越えられる	困難に直面したとき、たいてい解決策を見つけることができる	失敗しそうなとき、他の人が自分のことをどう思うかが気になる	失敗しそうなとき、自分に十分な才能がないかもしれないと不安になる	失敗しそうなとき、自分の将来への計画に疑問をもつ
OECD 加盟国								
オーストラリア	93	92	73	67	86	62	64	68
オーストリア	85	85	71	73	84	51	43	41
ベルギー（フレミッシュ）	89	91	64	57	83	47	44	53
カナダ	93	91	73	71	87	62	65	68
チリ	92	91	78	75	84	51	64	59
コロンビア	89	93	75	91	90	48	51	44
チェコ	91	70	68	63	82	59	52	55
デンマーク	91	87	78	71	90	58	58	47
エストニア	92	85	71	71	87	46	48	45
フィンランド	94	89	68	71	84	50	45	41
フランス	92	87	67	59	75	47	62	62
ドイツ	85	82	69	68	84	48	38	37
ギリシア	88	84	75	78	86	55	53	50
ハンガリー	91	91	74	80	90	55	51	47
アイスランド	91	83	76	69	84	64	54	50
アイルランド	94	90	72	66	85	64	63	65
イスラエル	84	82	69	80	85	—	—	—
イタリア	85	86	68	72	86	57	59	57
日本	65	69	41	56	59	77	74	61
韓国	86	91	55	77	81	75	66	54
ラトヴィア	83	79	70	72	84	55	50	49
リトアニア	90	89	72	81	85	62	53	50
ルクセンブルク	87	83	73	68	81	50	49	54
メキシコ	91	95	78	86	89	54	63	57
オランダ	90	89	66	69	88	45	35	36
ニュージーランド	94	93	68	66	85	65	63	68
ポーランド	88	90	73	69	83	54	57	58
ポルトガル	91	92	68	73	85	56	56	54
スロヴァキア	80	77	65	66	79	59	60	53
スロヴェニア	89	79	75	77	85	63	55	54
スペイン	85	92	82	73	84	51	53	48
スウェーデン	93	74	74	66	83	53	56	53
スイス	88	86	71	71	85	43	44	45
トルコ	87	91	79	84	86	66	57	64
イギリス	90	86	66	59	80	63	63	70
アメリカ	94	92	74	75	88	58	60	65

る」「自分には長所があると感じている」「うまくいくかわからないことにも意欲的に取り組む」などの項目で、韓国、アメリカ、イギリス、ドイツ、フランス、スウェーデンという他の6カ国と比べて明確に低くなっています（表は省略）。これらが単に、日本人は否定的な回答をしがちだからだ、で片付けられないのは、他の「自分は役に立たないと強く感じる」「人は信用できないと思う」などの項目については、日本の回答は他の国々とあまり変わらないからです。

要するに、「自分はハッピーだから日本という国のことなんて関係ねえ！」とはほど遠く、日本の若者の中には、日本固有と言っていいようなネガティブな人生観や自己認識、不安などが色濃く観察されるのです。この国で生きる若者たちは、知らず知らずのうちに傷ついている。本来ならそうでなくて済んでいたかもしれない鬱屈に、明らかに浸されているのです。

鬱屈の社会的背景

この鬱屈はどこからくるものなのでしょうか。もう少しデータを見てみましょう。2

016年に国際若者基金（International Youth Foundation, IYF）と戦略的国際研究センター（Center for Strategic and International Studies, CSIS）が、世界30カ国の16〜24歳の若者7600人を対象に実施した調査結果の中で、2つの項目に関する結果を図7-2・図7-3に示しました。

図7-2は「ストレスが大きすぎる」という項目に対して肯定する割合を示しており、日本はヨルダンと並んで2位となっています。このストレスの中身まではわかりませんが、推測するならば、学校や会社における強い締めつけや忙しさ、常に成果を求められる圧迫感、一歩間違えばそしられ罵られるかもしれない不安などでしょうか。

もう一つの図7-3は、「親世代より生活水準は上がるだろう」という項目を肯定する回答を示していますが、ご覧の通り日本は最下位です。1990年代以降、長く続く経済の低迷や労働市場の不安定化の中で、若い人たちは親世代が達成していたような生活水準——かなり安定した仕事や賃金、家族や持家や自動車を所有すること——を、自分たちが同様にできるかどうか、ましてや親たちよりも上の生活ができるかどうかに対して、非常に暗い見通しをもっています。

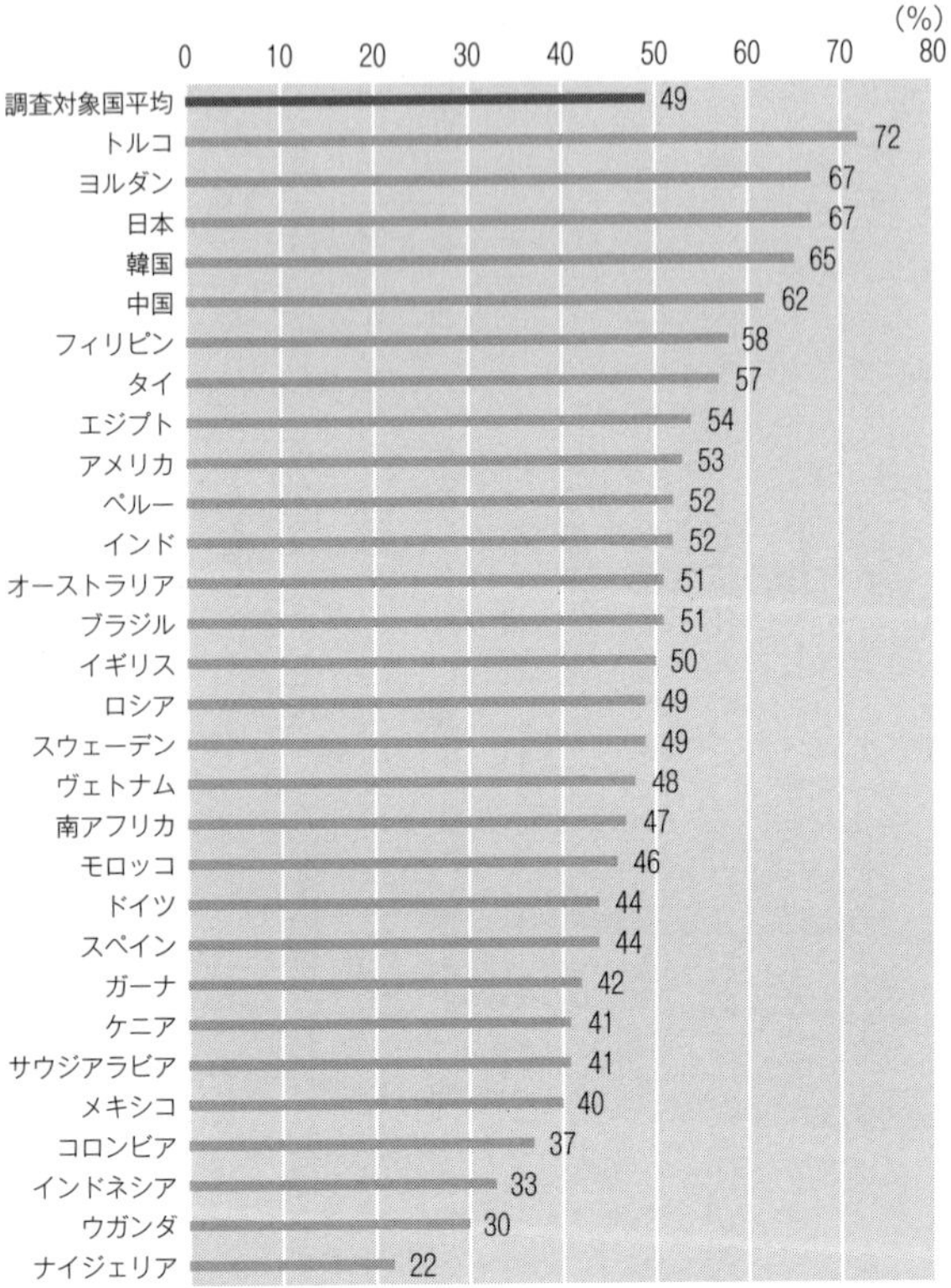

図 7-2 「ストレスが大きすぎる」

出典：International Youth Foundation, 2017 Global Youth Wellbeing Index, Figure 1.6

データ出所：Global Millennial Viewpoints Survey

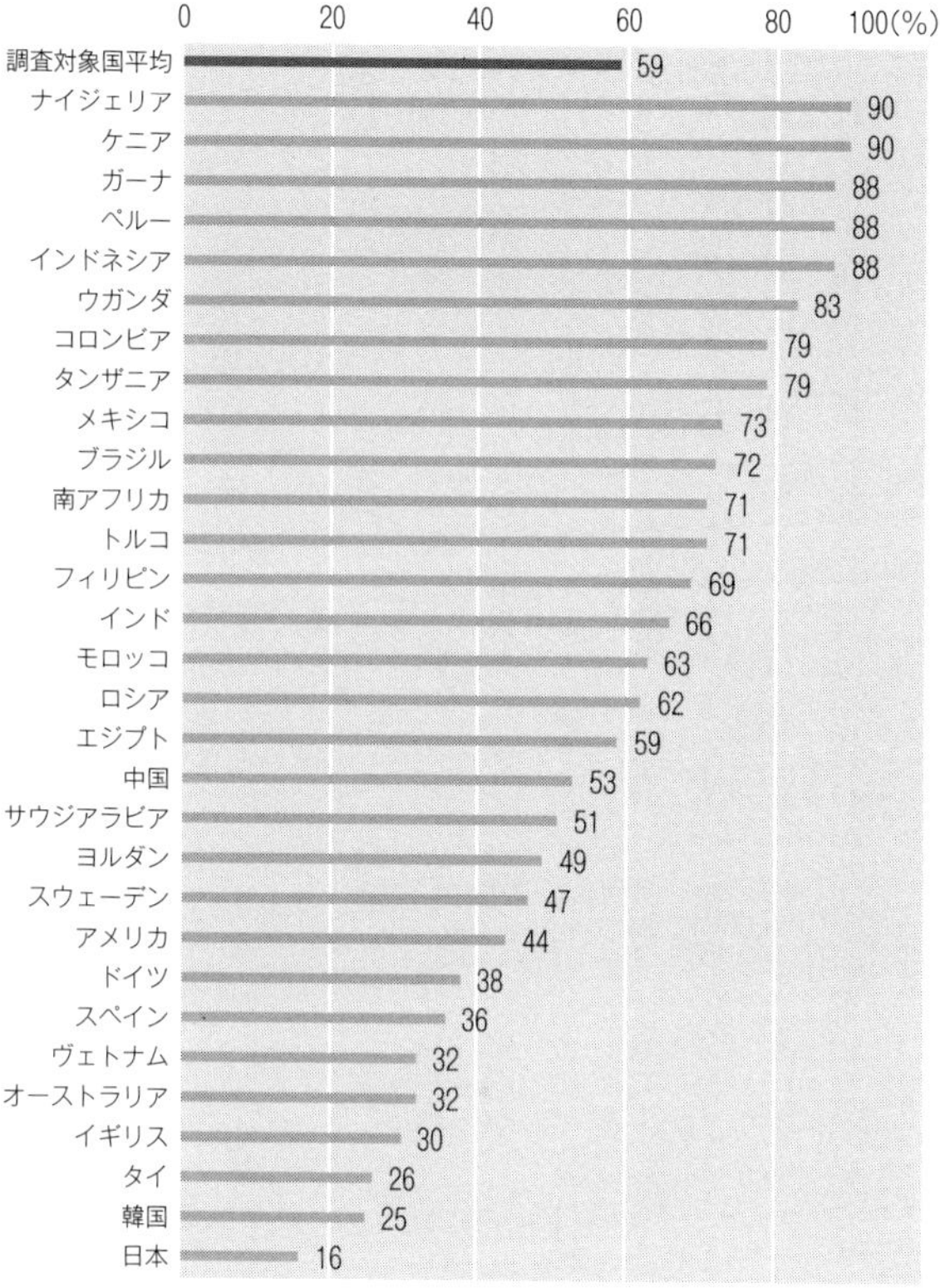

図 7-3 「親世代より生活水準は上がるだろう」

出典：International Youth Foundation, 2017 Global Youth Wellbeing Index, Figure 1.4

データ出所：Global Millennial Viewpoints Survey

これらの図に見られるような、ストレスや生活水準に関する日本の若者の特徴的な反応も、彼らが日本という国で生きているからこそ表れているものです。彼らをそうした状態に追い込んでいる、この日本という国のあり方について、看過したり楽観したりすることは、とうていできません。

「自分」にとっての「日本」

では、無意味さ、自己否定、不安、ストレス、暗い将来像の中で生きている日本の若者たちは、本当に「国なんて関係ねえ！」と思っているのでしょうか？　実はこれについては、そうでもなさそうなことを示すデータがあります。NHK放送文化研究所がほぼ10年おきに実施している「日本人の意識」調査で、国についてどう思うかを、調査時点別・生年別に示したものが図7－4です。この図の2つのグラフそれぞれの下の目盛りは調査対象が生まれた年で、右ほど高齢、左ほど若年であることを意味します。書き込まれている複数の折れ線は、調査が行われた時点を表しています。

2つのグラフは、「日本に生まれてよかった」「日本のために役立ちたい」という、い

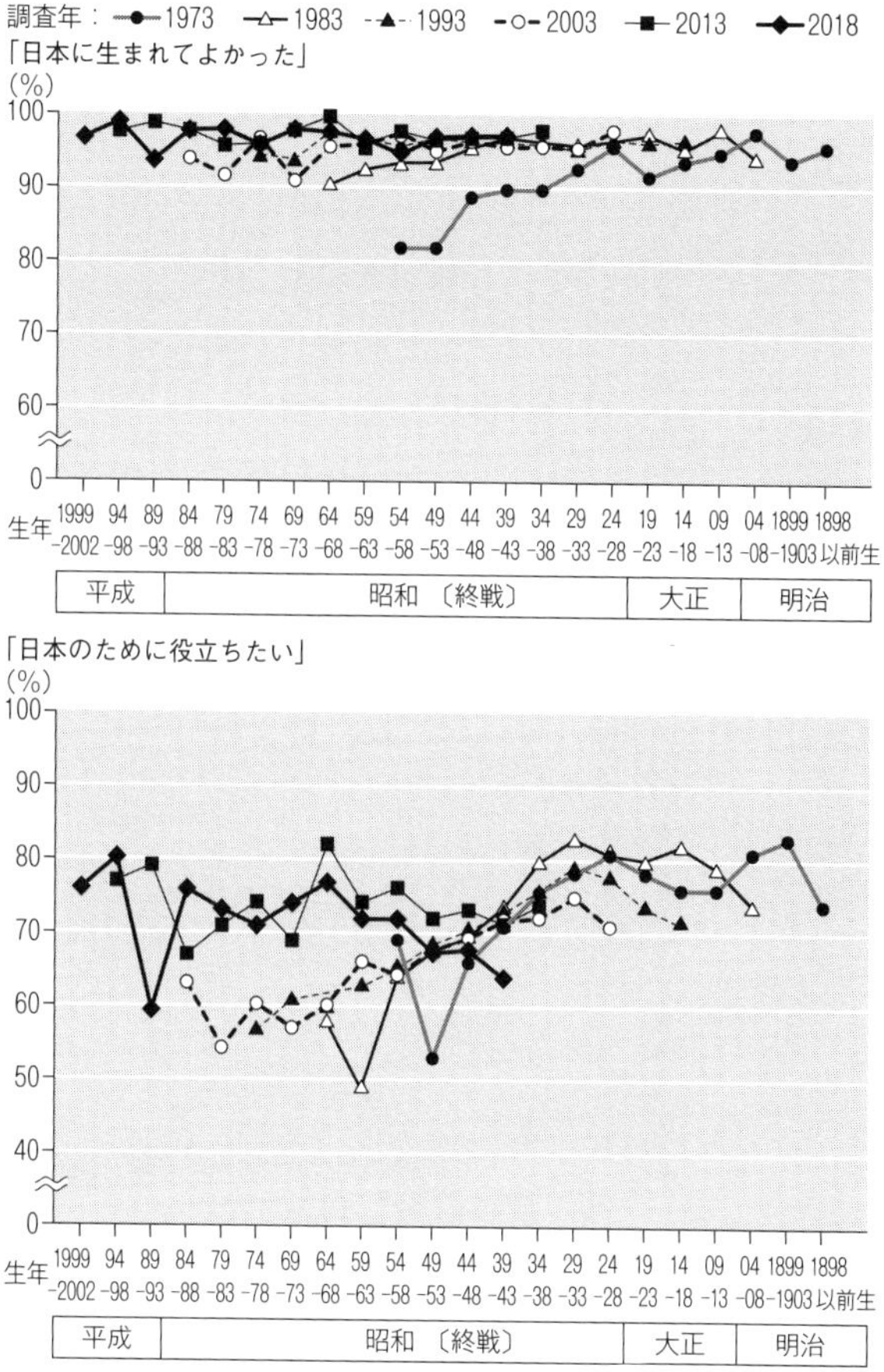

注：「そう思う」と回答した率

図 7-4　日本に対する愛着（調査時点別・生年別）

出所：NHK 放送文化研究所編『現代日本人の意識構造［第九版］』NHK ブックス、図Ⅳ-8。

わゆる「愛国心」とか「ナショナリズム」とか呼ばれる意識を肯定する割合を示しているのですが、どちらのグラフからも、かつては若い世代ほど年配層よりも「愛国心」は低かった（折れ線が右上がりになっている）ものが、最近になるほど総じて若年層も年配層と同様に「愛国心」の水準が高くなっている（折れ線が平らになっている）ことが読み取れるのです。「関係ねえ！」どころか、むしろ「日本、好き♡」の傾向のほうが強まっているような……？

ただし、この図７－４は、調査の回答分布を単純に示したものですから、この結果が「世代」によるもの（特定の時期に生まれた人たちの特徴）なのか、「時代」によるもの（調査が行われた時期の特徴）なのか、あるいはそれ以外の要因によるものなのかはわかりません。この点に踏み込んだ統計的分析を行った社会学者の松谷満さんの研究[96]によれば、もっとも若年である「平成世代」（この研究では１９９０年以降に生まれた人たち、と定義しています）では、特に「愛国心」が高まっているわけではない、という結果が見いだされています。若い世代が愛国的になっているというよりも、近年（具体的には２０１０年代後半）に、世の中の雰囲気として「愛国的」な意識、さらにはいわゆる「排外的」な意識（近隣国に対する差別的な意識）も高まっているということのほうが現実を言い当てているということを、松谷さんの研究結果は意味しているのです。

他方で、松谷さんの分析によれば、「平成世代」に固有な特徴は、「愛国心」の強さではなく、「権威主義」の強さにあるということも明らかになっています。「権威主義」とは、要するに「エライ人には従っとけ」という意識です。より具体的に質問項目の言葉遣いに即して言えば、「権威ある人々には敬意を払う」「伝統や慣習に疑問を持たない」「指導者や専門家に頼った方がいい」といった項目を統計的に合成したものを、この分析では「権威主義」と呼んでいます。

日本という国の仕組みによって打ちのめされている若者は、日本という国を特に好きなわけではありません。でも、打ちのめされているからこそ、強そうで安定した存在には従順に従う傾向があるようです。それは結局、この国のだめだめ・ぐだぐだな現状をもたらしたり、少なくとも解決できてはいないくせに、なぜか威張っている大人たちに、強烈なNOを突きつけることができない現状をもたらしていることになります。そうした「もじれた」（もつれる・こじれる・もじもじするなどを合わせた私の造語です）状況こそが、実は若い人たちの自己意識の暗さの中核にあるのかもしれません。

だめをだめでなくしてゆくために

この国は、そこに生きる人々は、だめだめ・ぐだぐだな現状を、一体どのようにして脱してゆくことができるのか。この本の締めくくりに、この重大な問いを考えておこうと思います。

まず明らかなのは、様々な面でひどい現状を直視することからしか、何も始まらないということです。そもそも、私がこの本を書いた目的自体が、そこにありました。みんな薄々気づき始めていたり、あるいはいろいろなデータによって否応なく突きつけられたりする、日本の現実を、まずは正面から見つめることを抜きにして、それに取り組むことはできません。

このことに関して、触れておきたい一つのエピソードがあります。2021年5月にNHKで放映された、「今ここにある危機とぼくの好感度について」というドラマは、大学を舞台にして発生する様々なトラブルに悪戦苦闘する主人公の若者を描いて、評判になりました。5月29日の最終回では、この大学にとって最大の危機（実験室から漏れた蚊が悪性の感染症を起こすという事態です）に対して、主人公のかつての恩師でもある学長が、問題を揉《も》み消そうとする理事会の面々に対して、次のように言い放ちます。

みなさんもうお気づきでしょう。我々は組織として腐敗し切っています。不都合な事実を隠蔽し、虚偽でその場をしのぎ、それを黙認し合う。何より深刻なのは、そんなことを繰り返すうちに、我々はお互いを信じ合うことも、敬い合うこともできなくなっていることです。お互いに信頼も敬意も枯れ果てたような組織に熾烈な競争を生き残っていく力などない。もし本当にそれを望むなら我々は生まれ変わるしかない。どんなに深い傷を負うとしてもまことの現実に立ち向かう力、そしてそれを乗り越える力。そういう本当の力を一から培っていかなければならない。恐らく長く厳しい闘いになる。これはその第一歩です。

こう宣言したのちに、学長は記者会見ですべてを明らかにし、この大学には世間からの非難や賠償金の請求が山ほど寄せられます。そのすべてを受け止めて、危機を切り抜けてゆこうとする様子を描いてこのドラマは終わります。

前記の学長の言葉は、何度でも噛《か》みしめるべき重みがあります。これは、いまの日本の多くの組織、そして日本という国全体に、当てはまることだと私は考えます。本書の各章で示してきた、それぞれのテーマに関する国際比較データは、現在の日本社会が、人と人との関係という点でも、物事の合理的な進め方という点でも、非常に多数の問題を抱えていることを表していました。気分的な「愛国心」に浸っているひまなどなく、もし本当にこの国を大切に思うのであれば、それらの問題を、たとえ気が遠くなるほど難しくとも、直視して是正してゆく覚悟が必要です。

原因と展望

ただ、是正すると言ってもどうすればよいのでしょうか。治療のためには診断が、つまり、何が根本的な原因なのかを探ることが不可欠です。それに関して私はこれまで、日本社会の現状を、「戦後日本型循環モデル」の特質と、90年代以降のこのモデルの破

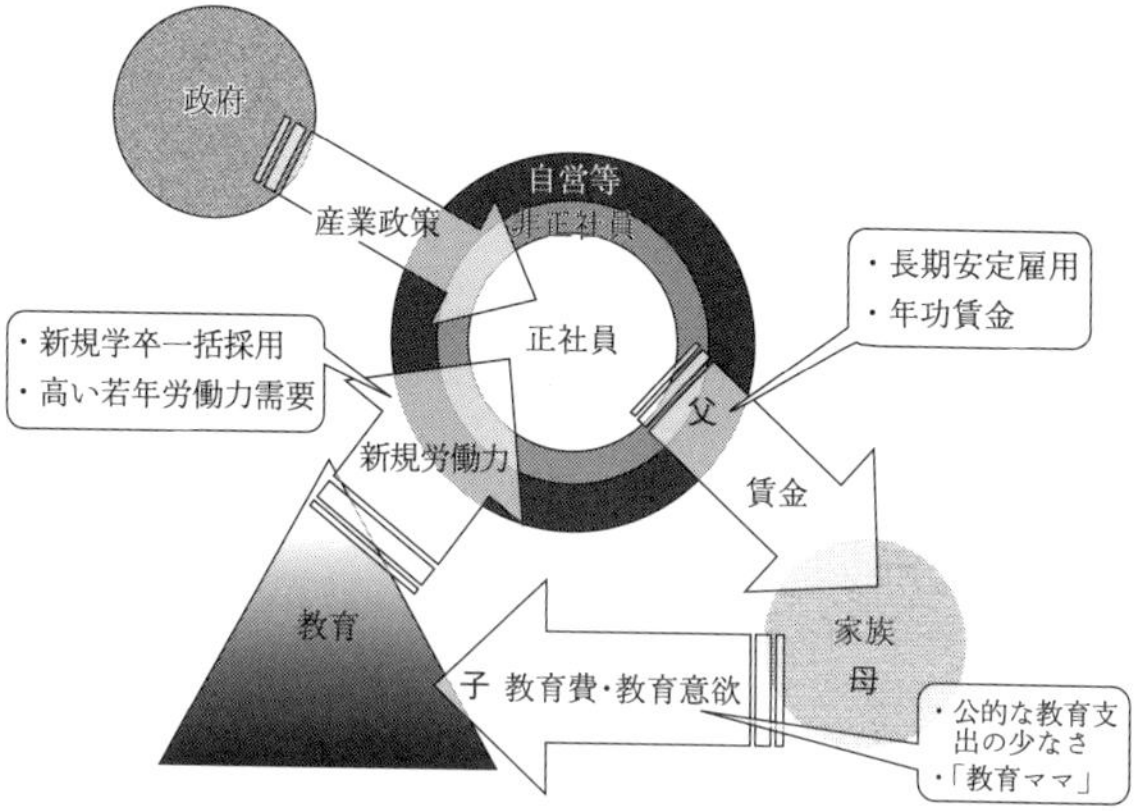

図 7-5　戦後日本型循環モデル
注：筆者作成。

綻、という図式で説明してきました。詳しくは、『社会を結びなおす』（岩波ブックレット）や『もじれる社会』（ちくま新書）などで論じており、また講演などでも必ずのように述べていることなので、ここでは簡潔な説明にとどめます。

１９４５年の敗戦後、１９６０年代を中心とする高度経済成長期に、日本には「戦後日本型循環モデル」と私が呼ぶ独特な構造（図７-５）ができあがり、それは１９７０年代・８０年代の安定成長期に、日本社会において広がりと深まりを遂げました。このモデルの特徴は、教育・仕事・家族という３つの社会領域の間に、一方向的に資源を流し込み合う循環が強固に成立していたということにあります。

教育から仕事には新しい労働力が「新規学卒一括採用」という世界的にも珍しい慣行によって流し込まれ、仕事からは稼ぎ手である男性を通じて家族を支えるための賃金が流れ込み、家族を支える役割を担ってきた女性たちは、その賃金や高い教育意欲を、次世代である子どもの教育達成のために流し込んでいました。

この循環構造が自動運動化していたので、政府は主に仕事の世界を産業政策によって支えておけば、あとは教育や家族を支えるための公的支出をきわめて抑制することができていました。政府が責任をもって整備すべき、福祉などの政策は、企業と家族が肩代わりをするような状況があったと言えます。当時においてそれが可能だったのは、ほぼひとえに、経済がとにもかくにも成長していたことによります。

この「戦後日本型循環モデル」は一見効率的でしたが、その一方向的循環が自己目的化してしまったことにより、教育・仕事・家族というそれぞれの領域の内実は空洞化するような事態が生じていました。どういうことか、説明してみましょう。

有利な仕事に就けるように1点でも「学力」と学歴を上げるための「教育」、家族を支えるために会社の指示には何でも従う「仕事」。大人の男性は長時間労働、子どもは学校や塾で長時間過ごすことで、「家族」は空っぽになりながらも、より豊かで便利な生活や子どもの地位達成の実現という目標によってかろうじて維持されていました。つまり、学ぶ意味、働く意味、人を愛する意味などは形骸化したまま、人々がただ循環の維持に駆り立てられるような状況が広範に生じていたのです。男性は働き、女性は家族を支えるという、ジェンダーによる分業体制ががっちりと組み込まれていたのも、この「戦後日本型循環モデル」の特性でした。【➡第1章「家族」、第2章「ジェンダー」、第3章「学校」】

その意味できわめて問題含みであった「戦後日本型循環モデル」ですが、それさえ破綻してしまったのが、1990年代以降です（図7-6）。産業構造・人口構造・国際関係など、もう後戻りできない複数の趨勢《すうせい》を原因とする経済の停滞により、教育・仕事・家族の間には、じゅんぐりにうまく資源が流れ込まない部分が現れ始め、いまや循環は、格差や貧困を作り出し続ける悪循環の様相を呈しています。家族の支えも、教育の支えも、仕事の支えも得ることができないまま、孤立して困窮状態に置かれている老

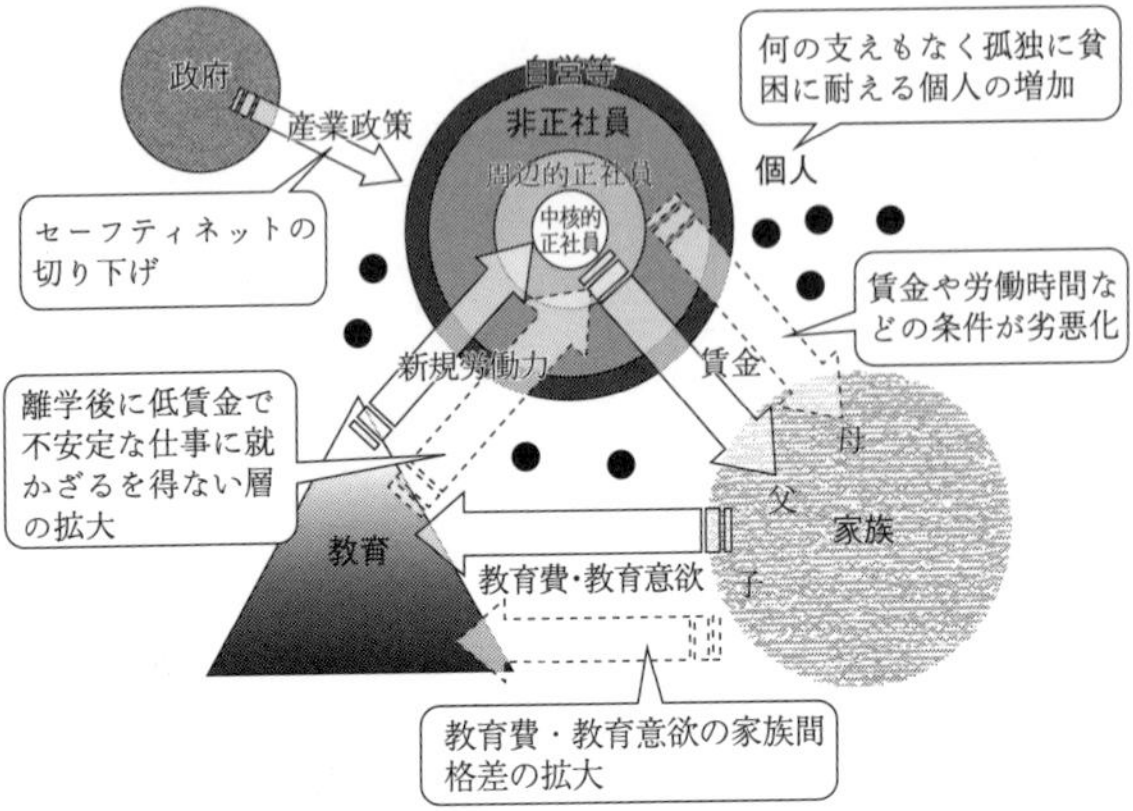

図 7-6　戦後日本型循環モデルの破綻
注：筆者作成。

若男女あらゆる層の人々が、目に見えるようになってきているのです。【⬇第1章「家族」、第4章「友だち」、第5章「経済・仕事」】

このように循環が破綻しているにもかかわらず、政府は「財政赤字」を盾にとって、セーフティネットの拡充を怠ってきました。もうこのままでは立ち行かない状況であるにもかかわらず、かつての循環モデルにしがみつき、様々なほころびを「自己責任」や「ニッポンすごい」のスローガンで覆い隠して、がたぴしと崖に向かって走っているのが、現在の日本の政府です。【⬇第6章「政治・社会運動」】

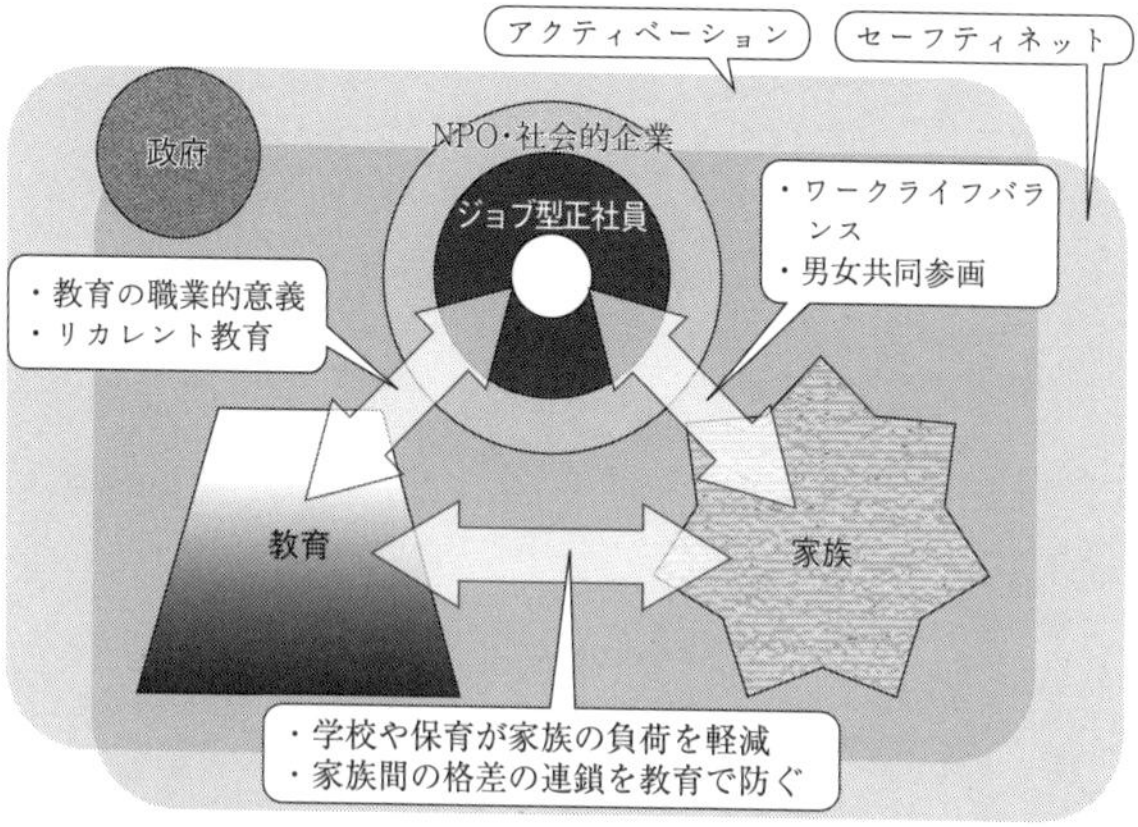

図 7-7　新たな循環モデル
注：筆者作成。

本書の各章で述べてきた現代の日本社会の様相は、以上のようなざっくりとした社会変容の図式化によって、ほぼすべて説明することができます。もしこの説明が当てはまっているとすれば、これからの日本を立て直してゆくためには、過去の「循環モデル」に決別し、教育・仕事・家族、そして福祉や政府の関係を、一方向的な循環ではなく双方向的な連携やバランスの関係へと組み替えていくしかない、と私はこれまで主張してきました（図7-7）。それは日本にとって大手術ですし、社会の全域におよぶことですから、そう簡単ではないことは言うまでもありません。それでも、不可欠なことだと私は考えています。

これはマクロな（全体的な）社会設計の話ですが、他方でミクロな（個々人の）人と人との関係や相互作用に関しては、どんな属性や立場の人であっても、まずはその存在そのものに敬意を払う、尊重する、という、あまりにも基本的な原則に立ち戻る必要があります。なぜなら、「戦後日本型循環モデル」のもとで、学校や会社や家族という個別の組織や集団に囲い込まれて過ごしてきた日本の人々は、ジェンダーや年齢、学歴、勤務先、雇用形態、国籍・民族などの分断線を用いて自分や他者を理解することに慣れてしまっており、また、総じて余裕がなくなっている近年においては、分断線の向こう側にいる他者に対して共感どころか憎悪や侮蔑が浴びせられる状態が、この社会ではきわめて悪化しているからです。他者を憎み侮蔑することは、結局のところ、そうした憎悪や侮蔑がいつ他者から自分に跳ね返ってくるかわからないということ、あるいは、自分が何らかの基準に達していないと感じた場合に自分で自分を憎悪し侮蔑してしまうことにもつながっています。

そのように他者や自分を憎悪し侮蔑する感じ方・考え方を変えることは容易ではあり

ません。でも、最初は試しにでもよいので、呼びかける、笑いかける、話してみる、そうしたらけっこうわかるところもあるし、意外に面白いということはありうると思います。あるいは、「地《じ》」で「素《す》」の自分自身、社会や他者にもみくちゃになっていない、日向でぼーっと風に吹かれている時の自分自身には、けっこう愛すべきところを感じられるかもしれません。こうした素朴な経験や実感を、少しずつ重ねてゆくことはできるのではないかと思います。

日本を超えて

日本、この奇妙な国。日本語で書かれたこの本を読んでくれているのは、日本で生まれたり、いろいろな経緯で日本に来て暮らしていたり、他の国で日本に関心をもってくれたりしている方々でしょう。この変な国について、そんなに一生懸命考える必要があるのか、ということが、私自身の脳裏をよぎることもあります。でも、別に望んだわけではありませんが、たまたまこの国の人間として生まれ、ここで育ち、これまで過ごしてきました。ただそれだけのことではありますが、この国のあり方に、自分も責任の一端を担っているし、私自身の一生もこの国から明に暗に影響を受けてきたと思います。だからこそ、真面目にこの日本という国のあり方を考えたいし、これからの進み行きを少しでも良くしていきたいと思うのです。

ただそれは、日本だけが良ければよい、という考えとは全然違います。内向きに閉ざされがちな日本ですが、いわゆる「グローバル化」の波は、日本を放っておいてはくれません。人や物や情報の、国境を越えた往来は常にあり、それらを通じて日本は他国から影響され、また他国にも影響を与えています。日々の暮らしで意識せずに使っているあれもこれも、遠い国の知らない誰かが、つらい労働に耐えて作ったものかもしれないのです。つまり、このように世界がつながりお互いに影響を与えあっている以上、「良くしていきたい」という考え方の空間的範囲を、国境で区切ることはできません。

Nobody's free until everybody's free. という言葉があります。「すべての人が自由にならない限り、だれも自由にはなれない」。これは、アメリカで1960年代から70年代にかけて、人種差別に立ち向かう公民権運動で活躍したアフリカ系女性のファニー・ルー・ハマーの言葉とされています。[97]

自分だけが自由を勝ち取って幸福になることが目的ではない。あらゆる存在が同様の自由を手にするまで、運動は続く。ハマーの言葉はそういう意味です。はい、果てしないですね。果てしないからこそ、難しいからこそ、それに向かって取り組むことに意味があるのです。果てしないから、難しいから、あきらめてしまうことはとても簡単です。だからこそ、あきらめてはならないのです。あきらめたらすべては終わりです。日本も、世界も、そして個々の人間――あなたも、私も。

注

第1章

1 福山雅治「家族になろうよ」JASRAC 出 2107―2411101
2 新村出編（2018）『広辞苑 第七版』岩波書店
3 森岡清美・望月嵩（1997）『新しい家族社会学 四訂版』培風館：4
4 信田さよ子（2021）『家族と国家は共謀する』角川新書
5 内閣府（2021）『令和3年版高齢社会白書』図1-1-6
6 国立社会保障・人口問題研究所サイト内の「人口統計資料集」（2021年版）表6-11
7 岡田豊（2016）「単独世帯の増加に急ブレーキ 目立つ独身の子供と親の同居」みずほインサイト
8 平山洋介（2020）『「仮住まい」と戦後日本』青土社
9 村田ひろ子・荒牧央（2015）「家庭生活の満足度は、家事の分担次第？――ISSP国際比較調査「家庭と男女の役割」から」『放送研究と調査』2015年12月号：8-20
10 内閣府（2019）『我が国と諸外国の若者の意識に関する調査（平成30年度）』
11 厚生労働省（2014）『平成26年版厚生労働白書』図2-3-22を参照。
12 OECD Child Well-Being Data Portal based on the OECD PISA Database 2015.

13　貴志倫子（2012）「子どもの発達と生活時間：社会生活基本調査を用いた日欧の国際比較より」Estrela（221）：13－19

14　OECD (2021). Family benefits public spending (indicator). doi: 10.1787/8e8b3273-en

15　教育とICT Online 記事「OECD、2020年版「図表でみる教育」を発行」（2020年9月14日）

16　OECD (2019). Society at a Glance 2019, Figure 6.6

第2章

17　内閣府（2020）『令和2年版男女共同参画白書』

18　厚生労働省（2015）「平成26年度コース別雇用管理制度の実施・指導状況（確報版）」

19　内閣府（2020）『令和2年版男女共同参画白書』

20　内閣府「男女共同参画に関する世論調査」各年版

21　不破麻紀子・筒井淳也（2010）「家事分担に対する不公平感の国際比較分析」『家族社会学研究』22巻1号：52－63

22　たとえば、日経Woman「男女の「幸福格差」が世界一の日本　幸せなのはどっち？」（2020年11月25日）、President Online「世界120位「女性がひどく差別される国・日本」で男より女の幸福感が高いというアイロニー」（2021年4月7日）など。

23　ITメディアビジネスオンライン「財布のヒモは誰が握ってる？　国によって違い」（2010年7

月1日）

24 野村浩子・川﨑昌（２０１９）「組織リーダーの望ましさとジェンダー・バイアスの関係――男女別、階層別のジェンダー・バイアスを探る」『研究論集』第4号、淑徳大学人文学部紀要委員会：13‐24

25 プラン・インターナショナル・ジャパン（２０２１）「日本における女性のリーダーシップ２０２１」

26 日本経済新聞「同条件の女性と男性、女性名だと登用されにくく」（２０２１年3月27日）

27 Ikkatai, Y., Minamizaki, A., Kano, K., Inoue, A., McKay, E. and Yokoyama, H. M. (2020). 'Masculine public image of six scientific fields in Japan: physics, chemistry, mechanical engineering, information science, mathematics, and biology'. JCOM 19 (06), A02.

28 古田和久（２０１６）「学業的自己概念の形成におけるジェンダーと学校環境の影響」『教育学研究』第83巻第1号：13‐25

29 国立教育政策研究所（２０１３）『「中学校・高等学校における理系進路選択に関する調査研究」最終報告書』。および同報告書報道発表資料

30 アンジェラ・サイニー（２０１９）『科学の女性差別とたたかう』東郷えりか訳、作品社

31 村松泰子（２００３）「学校教育とジェンダー」『学術の動向』２００３年4月号：36‐40

32 連合（２０１９）「仕事の世界におけるハラスメントに関する実態調査２０１９」

33 労働政策研究・研修機構（２０１６）『妊娠等を理由とする不利益取扱い及びセクシュアルハラスメントに関する実態調査結果』調査シリーズNo.１５０

34 文部科学省「平成30年度公立学校教職員の人事行政状況調査」

35 内閣府（２０２１）『令和2年度　女性の政治参画への障壁等に関する調査研究報告書』

36 同性愛への許容度の世代間格差については、たとえば石原英樹（２０１２）「日本における同性愛に対する寛容性の拡大――「世界価値観調査」から探るメカニズム」『相関社会科学』第22号：23－41

第3章

37 ＯＥＣＤ教育調査団（１９７２）『日本の教育政策』朝日新聞社

38 小松光、ジェルミー・ラプリー（２０２１）『日本の教育はダメじゃない』ちくま新書

39 中央教育審議会（２０１６）『幼稚園、小学校、中学校、高等学校及び特別支援学校の学習指導要領等の改善及び必要な方策等について（答申）』：５－６

40 文部科学省・国立教育政策研究所（２０１６）「ＰＩＳＡ２０１５年調査補足資料（生徒の科学に対する態度・理科の学習環境）」

41 本田由紀（２０２０）「世界の変容の中での日本の学び直しの課題」『日本労働研究雑誌』No.７２１：63－74

42 OECD (2020). Global Teaching InSights: A Video Study of Teaching、国立教育政策研究所編（２０２１）『指導と学習の国際比較』明石書店

43 たとえば著名な研究として以下を参照。
Glass Gene V, Smith Mary Lee (1978). Meta-analysis of research on the relationship of class-size and achievement. The class size and instruction project, West Lab for Educational Research and

Development.

Smith Mary Lee, Glass Gene V (1979). Relationship of Class-Size to Classroom Processes, Teacher Satisfaction and Pupil Affect: A Meta-Analysis, West Lab for Educational Research and Development.

Glass, G., & Smith, M. (1979). Meta-Analysis of Research on Class Size and Achievement. Educational Evaluation and Policy Analysis, 1(1), 2–16.

44 以下の研究などを参照。

Masakazu Hojo, Wataru Senoh (2019). "Do the disadvantaged benefit more from small classes? Evidence from a large-scale survey in Japan," Japan and the World Economy, Volume 52: 1–10.

伊藤大幸・浜田恵・村山恭朗・髙柳伸哉・野村和代・明翫光宜・辻井正次（２０１７）「クラスサイズと学業成績および情緒的・行動的問題の因果関係」『教育心理学研究』65（４）：４５１－４６５

国立教育政策研究所（２０１５）平成25～26年度プロジェクト研究「少人数指導・少人数学級の効果に関する調査研究」調査研究報告書『学級規模が児童生徒の学力に与える影響とその過程』

45 文部科学省（２０１９）「教員勤務実態調査（平成28年度）の分析結果について」

46 多喜弘文（２０１０）「社会経済的地位と学力の国際比較——後期中等教育段階における教育と不平等の日本的特徴」『理論と方法』25巻2号：２２９－２４８、藤村正司（２０１９）「後期中等教育の比較制度分析——ＰＩＳＡ２０１５から「日本的特徴」を再考する」『教育学研究』第86巻第４号：51－65、松岡亮二（２０１９）『教育格差』ちくま新書など。

47 注46の藤村文献。
48 松岡亮二（2019）「「生まれた環境」による学力差を縮小できない〈教育格差社会〉日本」『現代ビジネス』
49 本田由紀（2009）『教育の職業的意義』ちくま新書
50 本田由紀（2005）『多元化する「能力」と日本社会』NTT出版、本田由紀（2020）『教育は何を評価してきたのか』岩波新書を参照。

第4章

51 解説論文として、たとえば三隅一人（2005）「テーマ別研究動向（ソーシャルキャピタル）」『社会学評論』66巻1号：134-144などを参照。
52 たとえば、柴田悠（2010）「近代化と友人関係――国際社会調査データを用いた親密性のマルチレベル分析」『社会学評論』61巻2号：130-149など。
53 最近の研究例として、デボラ・チェンバース（2006=2015）『友情化する社会』辻大介他訳、岩波書店、石田光規（2021）『友人の社会史』晃洋書房など。
54 内閣府（2019）『我が国と諸外国の若者の意識に関する調査（平成30年度）』
55 鈴木翔（2015）「友だち――「友だち地獄」が生まれたわけ」本田由紀編『現代社会論』有斐閣：79-101
56 鈴木翔（2014）「生活環境と個性が友人数に与える影響」『我が国と諸外国の若者の意識に関する

調査（平成25年度）』

57 Unicef (2020). Innocenti Report Card 16 Worlds of Influence Understanding What Shapes Child Well-being in Rich Countries

58 国立教育政策研究所（２０１７）『ＰＩＳＡ２０１５年調査国際結果報告書 生徒のwell-being（生徒の「健やかさ・幸福度」）』

59 村田ひろ子（２０１８）「友人関係が希薄な中高年男性――調査からみえる日本人の人間関係」『放送研究と調査』ＮＨＫ放送文化研究所、２０１８年７月号：78－94

60 原田謙（２０１７）『社会的ネットワークと幸福感』勁草書房、第４章など。

61 注10・11の文献

62 Gallup (2016). Global Civic Engagement Report

63 Charities Aid Foundation (2019). World Giving Index 10th edition

第５章

64 「日本に学び、日本を超える」とした『セオリーZ』（Ouchi 1981）、通産省などの行政指導を高く評価する「日本株式会社」論（Johnson 1982）や、トヨタ自動車の「カンバン方式」への注目など。国内では小池和男の「知的熟練」論など。

65 STARTUP DB編集部「平成最後の時価総額ランキング。日本と世界その差を生んだ30年とは？」（２０１９年７月17日）

66　三菱総合研究所「ＩＭＤ「世界競争力年鑑２０２０」からみる日本の競争力　第１回：日本の総合順位は30位から34位に下落」（２０２０年10月８日）
67　労働政策研究・研修機構「早わかり　グラフで見る長期労働統計」
68　*IMD World Competitiveness Yearbook 2020; Country Profile Japan*
69　注68と同じ。
70　帝国データバンク（２０２０）「特別企画：全国社長年齢分析（２０２０年）　社長の平均年齢、59・9歳――右肩上がりで推移し、過去最高を更新」
71　労働政策研究・研修機構「データブック国際労働比較２０１９　6. 労働時間・労働時間制度」
72　労働政策研究・研修機構「データブック国際労働比較２０１９　5. 賃金・労働費用」
73　濱口桂一郎（２００９）『新しい労働社会』岩波新書
74　中村天江「揺らぐ企業社会、日本人は「キャリア孤立」に陥っている」リクルートワークス研究所（２０２０年９月28日）
75　茂木洋之・中村天江（２０２０）「日本人は、なぜ発言も離脱もしないのか――“Voice”と“Exit”に関する５カ国比較」『Works Review「働く」の論点２０２０』リクルートワークス研究所
76　たとえば、村田ひろ子（２０１８）「何が仕事のストレスをもたらすのか――ＩＳＳＰ国際比較調査「仕事と生活（職業意識）」から」『放送研究と調査』ＮＨＫ放送文化研究所、２０１８年３月号など。
77　中村天江（２０２０）「集団から個人に移る労働者の“Voice”――５カ国比較調査にみる日本の現状」日本労務学会第50回全国大会

78　「アジア8カ国調査で見えてきた人材市場と働く人々」『Works』118号、2013年

第6章

79　東京新聞「初の女性副大統領へ「私が最後ではない」カマラ・ハリス氏の演説全文　完訳〈アメリカ大統領選〉」（2020年11月11日）
80　宇野重規（2020）『民主主義とは何か』講談社現代新書、271ページ
81　International IDEA: Supporting Democracy Worldwide, Voter Turnout Database
82　総務省「国政選挙における年代別投票率について」
83　朝日新聞「自民へ投票、年代層逆転　07年～19年参院選、出口調査は語る」「無党派層、投票先は分散　参院選比例区・朝日新聞社出口調査」（2019年7月22日）
84　島澤諭「若者は本当に自民党を支持しているのか」『月刊 Wedge』2017年11月号
85　松谷満（2019）「若者はなぜ自民党を支持するのか――変わりゆく自民党支持の信条と論理」吉川徹・狭間諒多朗編『分断社会と若者の今』大阪大学出版会
86　内閣府（2019）『我が国と諸外国の若者の意識に関する調査（平成30年度）』
87　日本財団（2019）『「18歳意識調査」第20回　テーマ：「国や社会に対する意識」（9カ国調査）』
88　International Youth Foundation (2017). *2017 Global Youth Wellbeing Index*: 65, Figure7.3
89　注87と同じ。
90　秦正樹・酒井和希（2021）「教育における政治的中立性が若年層の政治的態度に及ぼす影響」『生

活経済政策』No.288：22-26
91 富永京子（2021）「若者の「社会運動嫌い」？——社会運動に対する忌避感とその原因」『生活経済政策』No.288：17-21
92 Pew Research Center (2007). *World Publics Welcome Global Trade-But Not Immigration: 47-Nation Global Attitudes Survey*; 18
93 読売新聞「「コロナ感染は自業自得」日本は11%、米英の10倍……阪大教授など調査」（2020年6月29日）
94 小林哲夫（2021）『平成・令和　学生たちの社会運動』光文社新書

第7章

95 RollingStone「野田洋次郎が語る「新世界」の指針と覚悟」（2020年5月15日）
96 松谷満（2019）「若者——「右傾化」の内実はどのようなものか」（第10章）田辺俊介編『日本人は右傾化したのか』勁草書房
97 Thought Co., Fannie Lou Hamer Quotes

あとがき

講演のときなどに、日本の現状や問題点を視覚的に示したく、様々な国際比較データをコレクションするようなことを長く続けてきました。それをまとめて、若い人向けにわかりやすく書こうとしたのが本書です。わかりやすくない、ややこしい図表も含まれていますが、社会学、より広く言えば社会科学は、このようにして現実を把握しようと苦闘していることも伝えたくて、あえて入れてあります。

この現状を何とかしたい、という思いが強いです。もう何をやってもだめだ、という冷笑や、自分だけが生き延びられればよい、という利己主義や、身近に目につくあいつらが悪い、という短絡的な憎悪ではない、向かうべき方向を探りたいといつも考えています。その思いや考えからいろいろな提案もしています。それらが若い人たちや読んでくれた方全般に、どこまで受け入れてもらえるのか不安もあります。でも私にできる精一杯の診断と提案をしました。

本書を書き上げるまでに、いくつかの章を、それぞれに関連する研究をされている方々に読んでもらって、意見をいただきました。具体的にお名前を挙げれば、柳煌碩さん、鈴木翔さん、中川宗人さん、森山洸さんです。また、他のいくつかの章は、授業などの場で、受講生の方たちに内容をお見せしてコメントをいただきました。筑摩書房で本書の編集を担当してくださった河内卓さんも、細かくアドバイスをくださいました。ご意見をくださったみなさんに、心から感謝します。できるだけそれらを取り入れて直しましたが、うまく直せていない部分もあり、それらも含め、本書の内容に関する責任は、すべて私にあります。

このあとがきを書いているのは、2021年8月の、東京オリンピックが終わった直後の東京都内の自宅においてです。急激に拡大する新型コロナウイルス感染症と、医療現場の疲弊が、繰り返し報道されています。無理に無理を重ねるような形で開催されたオリンピックの喧騒《けんそう》の後の、脱力したような白々しい静寂の中で、この本の終わりにたどり着きました。

本書で書いてきたように、日本社会には問題や課題が山積しています。パンデミックはそれをさらに鞭打つように作用し、これまで政府はあきれるほどの無策をさらしてきました。かすかな希望は、もうこのままではだめだ、変えていくしかないのだ、という認識が、内臓に染み渡るような実感として、多くの人々に共有されることですが、それもどうなるかはわかりません。

それでも、あきらめるという選択肢がないということだけは確かです。人々が、生命や生活や気持ちを踏みにじられることなく生きていけるためには何が必要か。そのための思考と行動の蓄積が、どうか進みますようにと願いながら、本書を閉じることにします。

2021年8月

本田由紀

chikuma primer shinsho

ちくまプリマー新書 386

「日本《にほん》」ってどんな国《くに》？　国際比較《こくさいひかく》データで社会《しゃかい》が見《み》えてくる

二〇二一年十月　十　日　初版第一刷発行
二〇二四年五月二十五日　初版第十四刷発行

著者　本田由紀（ほんだ・ゆき）

装幀　クラフト・エヴィング商會

発行者　喜入冬子

発行所　株式会社筑摩書房
東京都台東区蔵前二-五-三　〒一一一-八七五五
電話番号　〇三-五六八七-二六〇一（代表）

印刷・製本　株式会社精興社

ISBN978-4-480-68412-7 C0236　Printed in Japan